Liste d'instructions

Here are some of the instructions you will need to understand in Équipe.

Adapte	Adapt ...
Apprends par cœur	Learn by heart.
Attention!	Watch out!
Avant de lire	Before reading ...
Ça se dit comment, ... ?	How do you say ... ?
C'est qui?	Who is it?
Cherche	Look for ...
Choisis	Choose ...
Coche	Tick.
Complète (la grille)	Fill in (the grid).
Décris	Describe ...
Demande	Ask ...
Dessine	Draw ...
Devine	Guess ...
Dis	Say ...
Écoute	Listen.
Écoute la cassette pour vérifier	Listen to the cassette to check.
Écris	Write ...
Enregistre	Record ...
Fais une liste	Make a list.
Fais un sondage	Do a survey.
Ferme le livre	Shut the book.
Invente	Make up ...
Joue	Play ...
Lis	Read ...
Mets	Put ...
Note	Note down ...
Pose des questions	Ask questions.
Pourquoi?	Why?
Prends (des notes)	Take (notes).
Quel(le) ?	What ... ? Which ... ?
Qui?	Who?
Qui dit quoi?	Who is saying what?
Recopie	Copy out ...
Réécoute	Listen again.
Regarde	Look at ...
Relie (les phrases)	Match up (the sentences).
Relis	Read again.
Remets dans l'ordre	Put in the right order.
Remplace	Replace ...
Réponds aux questions	Answer the questions.
Travaille	Work ...
Trouve	Find ...
Vérifie	Check ...
Vrai ou faux?	True or false?

Useful classroom language

Could you say that again, please?	Répétez, s'il vous plaît.
How do you pronounce it?	Ça se dit comment?
How do you say "x" in French?	Ça se dit comment "x" en français ?
How do you spell it?	Ça s'écrit comment?
I don't understand	Je ne comprends pas.
What activity is it?	C'est quelle activité?
What page is it on?	C'est à quelle page?

Table des matières

Bienvenue!

La belle équipe, c'est quatre amis de la rue des Lilas, à Dieppe.

Je m'appelle Martin Berthault. J'ai 14 ans. Mes parents habitent à Dieppe, mais ils sont divorcés. J'habite avec mon père et mon frère. Mes passe-temps préférés? Le sport et la musique.

Je m'appelle Antoine Duprès. J'ai 14 ans. J'habite rue des Lilas, à Dieppe, avec mes parents, mon frère et ma sœur. Mon passe-temps préféré? C'est la musique.

Je m'appelle Nathalie Delacroix. J'ai 13 ans. J'ai une sœur, un frère, deux chats et un chien, Dingo. J'habite rue des Lilas. Mon passe-temps préféré? Les jeux vidéo.

Je m'appelle Karima Nedjam. Je suis de Marseille. J'habite maintenant à Dieppe. J'ai 13 ans. Mon père est tunisien. Ma mère est française. J'aime la natation et les animaux.

Jasmine Fournier, c'est une copine de Martin, Antoine et Nathalie. Maintenant, elle habite à Montréal, au Canada, avec son père.

Et voici Dingo, le chien de Nathalie!

Here are the symbols and features you will meet in Équipe, and what they mean.

🔲 listen to the cassette with this activity

👥 work with a partner   👥 work in a group

📖 use a dictionary for this activity

Zoom sur...

an explanation of how French works

000 refer to this page in the grammar section at the back of the book

Encore!

something extra to do, to back up what you have learned

En plus ...

something extra to do, to extend what you have learned

■ **Expressions-clés**

useful expressions

Interlude

a song or fun activity

You will learn how to ...

✓ a menu of what you will learn on these two pages

Ça se dit comme ça!

pronunciation practice

Guide pratique

ideas and tips to help you learn more effectively

Dictionnaire

ideas and tips on using a dictionary

En équipe

group project work at the end of each unit

Équipe-Magazine

reading practice at the end of each unit

Tu sais ... ?

a checklist of the things you have learned in the unit

visit the equipe online website at **www.oup.co.uk/equipe**

La belle équipe

Épisode 1

Le look de A à Z

1

> **Nathalie:** C'est triste sans Jasmine!
> **Antoine:** Oui, c'est triste.
> **Nathalie:** On va en ville avec Dingo?
> **Martin:** Oui, bonne idée! Je voudrais acheter un sweat pour la boum de samedi.

2

> **Karima:** Salut, Nathalie. Ça va? Bonjour, Dingo! J'adore ce chien!
> **Nathalie:** Martin et Antoine, voici Karima. Elle vient de Marseille. Elle habite à Dieppe maintenant, en face de chez nous.
> **Antoine:** Salut, Karima.

Nathalie: Tu aimes ce sweat jaune?
Martin: Pfff, c'est moche!
Antoine: Et c'est trop grand!
Martin: Et ce sweat bleu, ça me va?
Nathalie: Oui, ça te va bien.

Nathalie: Dingo a disparu!
Karima: Oh non! Vite, on cherche Dingo!
Martin: Je prends cette rue. Antoine, va par là.
Antoine: Oui, d'accord. Karima, on y va!

À suivre ...

1a Avant de lire l'épisode, devine.
  1 Jasmine est au Canada. Pour Antoine, Martin et Nathalie, c'est
    a nul.
    b génial.

  2 Nathalie, son chien Dingo, Martin et Antoine
    a vont en ville.
    b vont au château.

  3 En ville, il y a
    a Jasmine.
    b Karima Nedjam.

  4 Maintenant, Karima habite
    a à Marseille.
    b en face de chez Nathalie.

  5 En ville, Nathalie
    a retrouve Dingo.
    b a perdu Dingo! Catastrophe!

b 🔊 Lis et écoute pour vérifier.

2 Trouve dans le texte:
    a un jour de la semaine
    b deux villes françaises
    c un vêtement
    d deux couleurs
    e une expression pour dire:
      ce n'est pas beau
    f une expression pour dire:
      c'est bien pour toi

3 Remets dans l'ordre pour résumer l'histoire.
  Exemple 1 – f

    a Martin achète un sweat.
    b En ville, il y a Karima: elle habite à Dieppe maintenant.
    c Ils vont en ville avec Dingo.
    d Antoine aime bien Karima!
    e Après, catastrophe! Dingo a disparu!
    f Nathalie, Martin et Antoine sont tristes sans Jasmine.

Ma tenue préférée

You will learn how to …

✓ name items of clothing: *un jean, une veste, des baskets*
✓ say what you're wearing: *J'ai une jupe, une chemise et des bottes.*
✓ say what your favourite clothes are: *Ma tenue préférée, c'est …*
✓ describe clothes and colours: *la jupe blanche, le sweat jaune, les chaussures marron*

1 Écoute et répète.

> **1** J'ai un pantalon, un sweat, un blouson et des baskets.

> **2** J'ai une jupe, un tee-shirt et des baskets.

> **3** J'ai une robe, un pull et des sandales.

> **4** J'ai un jean, une chemise, une cravate et des chaussures.

Ma tenue pour la rentrée

 Nathalie   Martin   Karima   Antoine

2 Lis les bulles et regarde les photos. Qui parle?
Exemple   *1 – Martin*

3 Jeu: trouve l'erreur!

> **A** Je suis Nathalie. J'ai une robe, un pull et des bottes.

> **B** Tu as une robe, un pull et des sandales.

4 Qu'est-ce que tu as dans ton armoire? Fais une liste!
Exemple   *Dans mon armoire, j'ai trois jeans, quatre sweats, …*

Rappel   avoir

j'ai	nous avons
tu as	vous avez
il/elle/on a	ils/elles ont

Mots-clés

un (masculin)	une (féminin)	des (pluriel)
pantalon	jupe	baskets
jean	chemise	chaussures
tee-shirt	veste	sandales
sweat	cravate	bottes
blouson	robe	chaussettes
pull		

a le sweat jaune
b le tee-shirt bleu
c la chemise noire
d le blouson vert
e la jupe rose
f le short orange
g le jean blanc
h le caleçon noir
i les Doc Martens marron
j les sandales rouges
k les baskets blanches
l les bottes noires

5 C'est quoi, ta tenue préférée?
Écoute et regarde les dessins. Note les réponses.
Exemple 1 – a, h, k …

6 Fais un sondage dans la classe.

A C'est quoi, ta tenue préférée?

B Ma tenue préférée, c'est …

Mots-clés les couleurs

blanc/blanche   rouge
noir(e)   jaune
gris(e)   rose
bleu(e)   beige
vert(e)   marron

ZOOM sur… les adjectifs de couleurs

7 Trouve la bonne réponse.
Exemple 1 – b

Questions
1 Un adjectif, c'est …
2 Au féminin, on ajoute
3 Au pluriel, on ajoute
4 On met l'adjectif de couleur après

Réponses
a le nom
b un mot pour décrire
c un -e
d un -s

Attention aux exceptions!
un pull/une robe *rouge/rose/beige*
un pull/des pulls *gris*
blanc/blanche   *marron* ne change pas

8 Recopie et complète la bulle.

Ma tenue préférée, c'est un blouson …… , un sweat …… , un short …… , des baskets …… , une casquette …… ! Hyper-cool!

"Ridi-cool"!

142

J'adore le look sport

You will learn how to …

✓ say what you wear for different occasions: *Pour aller à l'école, je mets un jean et un sweat.*

✓ ask and say what types of clothes you like: *Qu'est-ce que tu aimes comme look?*
J'adore le look décontracté./Je déteste le look sport.

✓ say what you think about clothes/fashion: *C'est moche/sympa/pratique.*

1 📼 Écoute et lis.
Recopie et complète les bulles.

a (*Pour aller au collège, je mets …*)

b (*Pour aller en ville, je mets …*)

c (*Pour aller à une boum, …*)

d (*Pour aller chez mes grands-parents, je mets …*)

Rappel mettre

je mets	nous mettons
tu mets	vous mettez
il/elle/on met	ils/elles mettent

2 👥 De mémoire, livre fermé!

A (*Qu'est-ce que Karima met pour aller au collège?*)

B (*Elle met …*) **A** (*Oui/Non.*)

3 Écris des bulles (comme dans l'activité 1):
a) pour toi; b) pour d'autres personnes.

a (*Pour aller en ville, je mets …*)

b (*Pour aller à l'école, ma sœur met …*)

4 🔊 Écoute. Qui dit quoi? Fais des phrases avec les expressions-clés.
Exemple   Karima – J'aime bien le look décontracté. C'est pratique.

5 Et toi, qu'est-ce que tu aimes comme look? Pourquoi?

> J'aime bien le look sport. C'est pratique.

Encore!

Le look préféré de la classe? Fais un sondage et écris les résultats.
Exemple   15 élèves aiment le look décontracté. C'est sympa.

En plus …

Regarde les vêtements page 11.
Donne ton opinion avec le plus possible de détails.
Exemple   Je déteste la jupe. C'est moche, je déteste la couleur.

Ça se dit comme ça!

un/une

6a 🔊 Écoute et répète.
un pull   une jupe
un jean   une robe

b 🔊 Tu entends *un* ou *une*?
Répète et note.
Exemple   1 – un

7a 🔊 L'uniforme: pour ou contre? Écoute et coche.
Exemple   1 ✓, 2 ✗, …

b Donne ton opinion!

Guide pratique

Pour donner une opinion:
✓ Moi, je suis pour. C'est pratique.
✗ Moi, je suis contre. C'est moche.

D'accord ou pas d'accord?
✓ Je suis d'accord.
✗ Je ne suis pas d'accord.

Expressions-clés

😄 J'adore	le look	décontracté.	C'est	pratique.
😊 J'aime bien		sport.		sympa.
😟 Je n'aime pas beaucoup		habillé.		moche.
😠 Je déteste				

Ça me va, ce blouson?

Martin va à une boum. Qu'est-ce qu'il met? Problème!

Martin: Ça me va, cette veste?
Antoine: *a* Oui, oui, ...
Nathalie: *b* Non, ...

Martin: Ça me va, cet anorak?
Antoine: *c* Mais oui, ...
Nathalie: *d* Non, ...

Martin: Ça me va, ce blouson?
Antoine: *e* Oui, ...
Nathalie: *f* Ah non, ...

Martin: Et ces chaussures? Ça me va?
Antoine et Nathalie: *g* Ah non, ... !

1 Écoute. Recopie et complète les phrases avec les expressions-clés.
Exemple *a – Oui, oui, ça te va bien.*

2 À trois, jouez la scène!

Expressions-clés
Ça me va?
Oui, ça te va bien.
Non, ça ne te va pas.

ZOOM sur... *ce, cet, cette, ces*

3 Trouve trois exemples pages 8 et 9.

Ce: pour montrer une chose ou une personne précise:

ce sweat

cet anorak

cette fille

ces chaussures

143

4 *Ce, cet, cette* ou *ces*, c'est quoi en anglais? Vérifie page 154.

5 Maintenant, recopie et complète le tableau.

	singulier	pluriel
masculin	....	ces
masculin (avec voyelle)	....	ces
féminin	....	ces

6 Recopie et complète avec *ce, cet, cette, ces*.
a J'aime bien ...... short vert.
b J'adore ...... baskets!
c Je déteste ...... uniforme!
d Je n'aime pas beaucoup ...... jupe!

Ça me va ou pas?

a
b
c
d
e
f

7 🔊 Écoute. Relie les dessins aux conversations.
Exemple   1 – f

Guide pratique

Donne ton opinion avec tact

Ne dis pas: Beurk! C'est moche!
Dis: Euh … ce n'est pas ton genre.
            C'est trop grand.
            C'est trop petit.

8 👥 Regarde les dessins. À toi!

A *J'adore cette jupe! Ça me va?*

B *Euh … non, c'est trop grand!*

Encore!

Écris les conversations pour les six dessins.

En plus …

Réponds aux questions de Martin, page 14, avec tact!
Exemple   La veste? Ça ne te va pas, c'est trop grand.

Le blues du blue-jean

You will learn how to …
✓ use adjectives
✓ choose the right pronoun
✓ choose the right part of a verb

Pour aller chez Noé,
Qu'est-ce que je mets?
Qu'est-ce que je mets?
Ma jolie robe rayée?
Elle est trop serrée.
Mon tee-shirt en lycra?
Ça ne me va pas.
Aïe aïe aïe, qu'est-ce que je mets?

Refrain
Ma tenue préférée,
C'est mon jean délavé,
Mon vieux jean,
Mon blue-jean,
C'est le blues du blue-jean.

Pour aller chez Clément,
Qu'est-ce que je mets?
Qu'est-ce que je mets?
Mon beau pantalon blanc?
Il est bien trop grand.
Mon caleçon rose et gris?
Il est trop petit!
Aïe aïe aïe, qu'est-ce que je mets?
Refrain

Ça y est, j'ai une idée.
Qu'est-ce que c'est?
Qu'est-ce que c'est?
Mon vieux jean délavé!
Mon jean adoré,
Avec un nouveau sweat
Et mes vieilles baskets,
Oh là là, c'est sympa!
Refrain

1 🔊 Écoute et lis la chanson.

2 📖 Quels mots tu ne comprends pas?
Tu cherches où? Pense au glossaire, page 154!

3 Invente des bulles pour la BD.

ZOOm sur… les adjectifs

La position
• En général, l'adjectif va *après* le nom.

4 Trouve six exemples dans la chanson.

• Certains adjectifs vont *avant* le nom.

142 **5** Trouve cinq exemples dans la chanson.

Zoom sur... les verbes au présent

Le patchwork des verbes réguliers en -er

j'aim**e**

tu aim**es**

il/elle/on aim**e**

nous aim**ons**

vous aim**ez**

ils/elles aim**ent**

6 Écris ces trois verbes comme *aimer* à chaque personne:

adorer chercher détester

145 → **Exemple** *j'adore, tu adores, …*

Rappel   les pronoms

je/j'	tu	il	elle	on
nous	vous	ils	elles	

Avoir ou ne pas avoir!

7 Recopie et complète la conversation avec la bonne forme d'*avoir*. (Regarde Rappel, page 10.)

– Moi, j'...... des Adichats!

– Quoi? Tu ...... des Adichats? Eh! Il ...... des Adichats!

– Ah ah ah! On n'...... pas d'Adichats! Nous, nous ...... des Chatbok.

– Ah, vous ...... des Chatbok?

– Oh là là, ils ...... des Chatbok! Nul!

146 →

Tu sais … ?

✓ parler de tes vêtements	*J'ai un pantalon noir, une veste blanche, des chaussures marron …*
✓ dire ce que tu aimes comme vêtements	*Ma tenue préférée, c'est un jean avec un sweat. J'adore/J'aime bien/Je n'aime pas beaucoup/Je déteste le look sport/habillé/décontracté.*
✓ dire ce que tu mets pour différentes occasions	*Pour aller à l'école, je mets un uniforme.*
✓ demander et donner une opinion	*Ça me va? Oui, ça te va./Non, ça ne te va pas. C'est sympa/moche/pratique. C'est trop petit/ grand. Ce n'est pas ton genre. Je suis pour/contre. Je (ne) suis (pas) d'accord.*

Et en grammaire … ?

✓ les adjectifs: forme et position	*une petite robe, un pantalon gris*
✓ les pronoms	*je, tu, il/elle, on …*
✓ les verbes au présent	*j'aime, tu joues, il cherche …*
✓ *ce, cet, cette, ces*	*ce blouson, cette jupe, cet anorak, ces baskets*

En équipe

Défilé de mode

Organisez un défilé de mode en classe! Choisissez une collection: automne-hiver ou printemps-été.

La préparation

1 Vous avez quels vêtements pour le défilé? Faites une liste.

A J'ai une robe bleue en lycra, …

B Moi, j'ai un short vert, …

C Moi, j'ai un pantalon beige, …

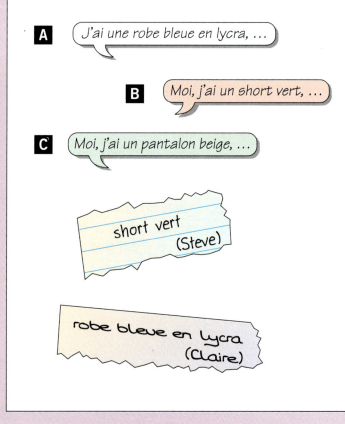

short vert
(Steve)

robe bleue en lycra
(Claire)

2 En groupe, discutez de votre liste.

A Je mets ma robe bleue avec une veste blanche?

B Oui, d'accord.

Le jour du défilé

3a 📷 Regardez la photo et écoutez le commentaire. Trouvez les deux erreurs.

b Écrivez et enregistrez un commentaire pour votre défilé.
Exemple *Voici la collection automne-hiver. Pour aller à une boum, Alice porte* une robe bleue, une veste blanche et des sandales. Alice aime le look décontracté.*

*il/elle porte = il/elle a

4 Présentez votre défilé.

Équipe-Magazine

LA MODE AU MUSÉE

La mode, ça t'intéresse? Visite le musée de la Mode et du Textile, au Palais du Louvre, à Paris. Là, il y a 16 000 costumes et 35 000 accessoires de mode!

C'est un voyage dans l'histoire des vêtements: au premier étage, la mode des années 60, 70 et 80; au deuxième étage, des robes et des costumes des 17ème et 18ème siècles.

La mode sur CD-Rom

C'est quoi, le look préféré au Moyen Âge? Qu'est-ce qu'on met pour aller à un mariage au 18ème siècle? Pour tout apprendre sur la mode, il y a un CD-Rom très intéressant. Prends ta souris et clique!

Mannequin à 14 ans

- ■ Arnaud, tu as 14 ans. Tu commences les défilés de mode à quel âge?
- ● À trois ans!
- ■ Qu'est-ce que tu fais exactement?
- ● Je fais des défilés, des photos pour des affiches et des publicités à la télé.
- ■ C'est dur d'être mannequin?
- ● Oui, des fois, mais j'adore ça!
- ■ Pourquoi?
- ● J'aime bien la mode, les vêtements, tout ça.
- ■ Qu'est-ce que tu aimes comme look?
- ● En général, je mets des tenues décontractées. Ma tenue préférée, c'est une tenue Chevignon. Génial!

La belle équipe

Épisode 2

Dingo, le chien de Nathalie, a disparu.

Nathalie: Pas de nouvelles de Dingo!

Antoine: Écoute … Martin et moi, on va au cinéma. Tu veux venir?

Nathalie: Euh … oui, je veux bien. Qu'est-ce qu'il y a comme film?

Martin: C'est un film policier.

Nathalie: Génial! J'adore les films policiers.

Martin: Le film commence à deux heures et demie.

Nathalie: On peut chercher Dingo avant.

Ils vont inviter Karima.

Antoine: Nous allons au cinéma. Tu veux venir?

Karima: Non, je ne veux pas sortir aujourd'hui.

Nathalie: OK! Au revoir!

Karima: Au revoir! À bientôt!

Au cinéma …

Nathalie: Toujours pas de Dingo. Où est-il?

Antoine: On peut chercher encore après le film.

Martin: Oui. Je vais acheter les billets.

Nathalie: Regardez, c'est Karima, avec sa mère.

Antoine: Alors, ça! Elle sort … mais pas avec nous!

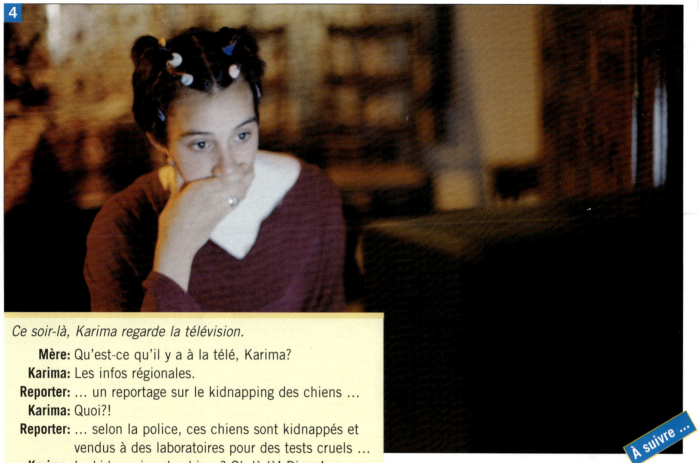

4

Ce soir-là, Karima regarde la télévision.

Mère: Qu'est-ce qu'il y a à la télé, Karima?

Karima: Les infos régionales.

Reporter: … un reportage sur le kidnapping des chiens …

Karima: Quoi?!

Reporter: … selon la police, ces chiens sont kidnappés et vendus à des laboratoires pour des tests cruels …

Karima: Le kidnapping de chiens? Oh là là! Dingo!

À suivre …

1 Avant de lire l'épisode, regarde les photos et devine:

1 Antoine, Nathalie et Martin vont
  a au cinéma.
  b au centre sportif.

2 Ils vont inviter Karima mais
  a elle ne veut pas sortir.
  b elle n'aime pas aller au cinéma.

3 Devant le cinéma, Nathalie voit
  a Karima avec sa mère.
  b Karima avec Dingo.

4 Nathalie
  a retrouve son chien.
  b ne retrouve pas son chien.

5 Le soir, Karima
  a regarde la télévision.
  b va au cinéma.

2 🔊 Écoute et lis l'épisode. Ça se dit comment en français?
  a Do you want to come?
  b What film's on?
  c What's on the TV?
  d I'm going to buy the tickets.
  e The local news.

3 Réponds aux questions.
  a Nathalie veut aller au cinéma?
  b Karima veut sortir?
  c Qui va acheter les billets au cinéma?
  d Karima sort avec qui?
  e Le soir, que fait Karima?
  f Qu'est-ce qu'on fait avec les chiens kidnappés?

Sélection télévision

You will learn how to …

✓ name different types of TV programme: *un documentaire, une émission sportive*

✓ say what types of TV programme you like/don't like: *J'aime regarder les films. Je déteste les feuilletons. C'est drôle/triste.*

UN FILM ◈ UN DOCUMENTAIRE ◈ LES INFOS ◈ UNE ÉMISSION SPORTIVE

UN DESSIN ANIMÉ ◈ UN FEUILLETON ◈ LA MÉTÉO

UNE ÉMISSION POUR LA JEUNESSE ◈ UN JEU

1a Regarde les photos. C'est quelle sorte d'émission?
Exemple   La première photo, c'est un jeu.

b 📼 Écoute pour vérifier.

c 👥 A ferme son livre. Quelles sont les neuf photos?

> **A** *La première photo, c'est un jeu. La deuxième photo, c'est …*

Mots-clés

premier/première	1er/1ère
deuxième	2ème
troisième	3ème
quatrième	4ème
cinquième	5ème
sixième	6ème
septième	7ème
huitième	8ème
neuvième	9ème
dixième	10ème

2a Écoute. Note les émissions qu'ils aiment
(✔) et qu'ils n'aiment pas (✘).
Antoine Nathalie Martin Karima Max
Roxanne
Exemple *Antoine – émissions sportives* ✔
                     dessins animés ✔
                     jeux ✘

> *Moi, j'aime les émissions sportives.*
> *J'aime aussi les dessins animés, mais*
> *je déteste les jeux. Les jeux, c'est nul!*

2b Écris une bulle pour Nathalie, Martin, Karima,
Max et Roxanne.

3a Sondage. Pose la question *Tu aimes … ?*
pour chaque sorte d'émission.
Exemple *Tu aimes les dessins animés?*

3b Additionne les points pour ton groupe.
Dessine un tableau.

j'adore = + 2 points	je déteste = – 2 points
j'aime bien = + 1 point	je n'aime pas = – 1 point

Exemple

jeux
dessins animés
films
météo
feuilletons

Expressions-clés

😀	J'adore	(regarder)	les émissions
			sportives
🙂	J'aime (bien)		les jeux
			les documentaires
	Je préfère		les dessins animés
			les informations
😟	Je n'aime pas		les émissions pour
			la jeunesse
😠	Je déteste		les films
			les feuilletons
			la météo

C'est comment?
C'est génial.
       intéressant.
       drôle.
Ce n'est pas mal.
Ce n'est pas marrant.
C'est nul.
C'est débile.

J'aime regarder les jeux, *mais* je préfère
les feuilletons.
Elle adore les dessins animés et elle aime
aussi les films.

Encore!

Fais deux listes:
(1) les types d'émissions que tu aimes
(2) les types d'émissions que tu n'aimes pas.

En plus …

Résume les résultats du sondage. (Utilise *nous*.)
Exemple *En première place, c'est les films.*
Nous adorons les films.

4 Écris le nom d'une émission de chaque type et
donne ton opinion.
Exemple *J'aime bien les feuilletons, par*
exemple Eastenders. C'est génial.

Qu'est-ce qu'il y a à la télé?

TF1

16.15	**L'HOMME QUI TOMBE A PIC** [9771006] Série américaine. La course aux bijoux volés.
17.10	**MELROSE PLACE** Feuilleton.
18.00	**K 2000** [89402] Le retour de Goliath. (Deuxième partie).
19.00	**L'OR A L'APPEL** [9750] Présenté par Lagaf'.
20.00	**JOURNAL** [14315]
20.45	**LES ANNÉES TUBES** [750976] Présenté par Jean-Pierre Foucault.

France 2

16.50	**DES CHIFFRES ET DES LETTRES** Jeu. [422402]
17.25	**LE PRINCE DE BEL AIR** [5782353] Série américaine.
17.50	**KIRK** [39334]
18.20	**MADISON** [85599]
18.50	**QUI EST QUI?** [4083044]
19.25	**STUDIO GABRIEL** [353773] Invités : Karen Cheryl, Jean Guidoni.
20.00	**JOURNAL** [21605]
20.55	**QUAI No 1** [7343268] Série réalisée par Patrick Jamain.

France 3

16.40	**LES MINIKEUMS** [2128315] Tintin 16.50 Les tortues Ninja 17.15 Rémi sans famille
17.45	**JE PASSE A LA TÉLÉ** [250247]
18.20	**QUESTIONS POUR UN CHAMPION** Jeu. [98763]
18.50	**UN LIVRE, UN JOUR** [2359995]
20.05	**FA SI LA CHANTER** [898711]
20.35	**TOUT LE SPORT** [9415711]
20.50	**THALASSA** [7750957]

CANAL+

15.55	**DUMB AND DUMBER** [2669402] Film : comédie américaine.
17.35	**PAS SI VITE** [929044]
17.40	**CARLAND CROSS** Feuilleton.
18.15	**CYBERFLASH** [9483808]
18.35	**NULLE PART AILLEURS** [1518711]
20.15	**FOOTBALL** [8501402] Championnat de France RENNES/NANTES

5 La Cinquième

16.25	**CAYMANIA, VOYAGE AU FOND DES MERS** [73353]
17.00	**JEUNESSE** [36082] Cellulo 17.25 Alf.
17.55	**JEUNES MARINS REPORTERS** (Voir mardi).
18.25	**LE MONDE DES ANIMAUX** [8605024] La société des insectes : "L'assemblée des mouches".
18.50	**MÉTÉO**

M6

16.45	**RINTINTIN JUNIOR** [9924976] Feuilleton américain.
17.15	**HIT MACHINE** [617537]
18.05	**CENTRAL PARK WEST** Le mariage. [1527686]
19.00	**LOIS ET CLARK : LES NOUVELLES AVENTURES DE SUPERMAN** [51334] Série américaine.
19.45	**6 MINUTES** [405999044]
20.00	**MISTER BIZ** Magazine. [64286]
20.35	**6 MINUTES LOCAL** [7039315]
20.45	**LES DESSOUS DE LA NOUVELLE-ORLÉANS** [750841]

1 Lis le programme de la télé. Recopie et complète la grille.

	Émission	Type	Heure	Chaîne
a	Rennes/Nantes			Canal +
b		jeu	16.50	
c			17.25	France 2
d	Rintintin Junior			
e		météo	18.50	
f			17.00	La Cinquième
g	Journal	infos		

2 Écoute et regarde le programme. Vrai ou faux?

Guide pratique

Tu cherches une information spécifique dans un texte?

✗ Ne lis pas *tout* le texte.

✔ Cherche les mots-clés. C'est plus rapide!

Le système de 24 heures

À sept heures trente.

À dix-neuf heures trente.

À seize heures quinze.

À vingt-deux heures quarante-cinq.

- Je vais regarder la télé ce soir.
    Moi aussi. Qu'est-ce qu'il y a?
- Il y a "Top Models" sur France 2 à dix-huit heures trente.
    Non, je n'aime pas les feuilletons. Moi, je vais regarder "Vidéo Gag".
- C'est sur quelle chaîne?
    C'est sur TF1.
- C'est à quelle heure?
    C'est à dix-huit heures quinze.
- Et tu vas regarder "Superman" après?
    Ah oui! J'adore cette émission!
- Viens chez moi, si tu veux.
    D'accord.
- Alors, on va regarder "Vidéo Gag" et ensuite "Superman". D'accord?
    D'accord!

3a Lis et écoute le dialogue.

b Réécoute. Joue le rôle de Nathalie, puis de Martin.

c Avec un(e) partenaire, joue le dialogue.

4 Jeu de rôle. Travaille avec un(e) partenaire. Qu'est-ce que vous allez regarder? Décidez ensemble.

Exemple

A: Je vais regarder BBC 1. Il y a "Neighbours" à 17 heures 35.

B: Ah non! Je déteste les feuilletons. Je préfère …

A: C'est à quelle heure?

Zoom sur… *aller + infinitif*

Je regarde la télé.
(l'action est dans le présent)

Je vais regarder la télé.
(l'action est dans le futur)

aller
je vais
tu vas
il/elle/on va
nous allons
vous allez
ils/elles vont

+ *un infinitif* =   une action dans le futur

5 Trouve quatre exemples de *aller* + *infinitif* dans le dialogue entre Martin et Nathalie.

6 Recopie les phrases avec les bons verbes.
a Je *vais* regarder la télévision.
b Nous ...... voir un dessin animé.
c Tu ...... acheter des billets pour samedi?
d Vous ...... voir un film d'aventure demain soir?
e Il ...... rester à la maison ce week-end.
f Plus tard, ils ...... écouter la radio.
g Dans dix minutes, je ...... sortir.

148

On va au cinéma?

a un dessin animé

b un film policier

c une comédie

d un film d'amour

e un film d'épouvante

f un film de science-fiction

1a 📼 Écoute les invitations. On accepte ou on refuse?

b 💻 Regarde les dessins. Il y a des mots nouveaux? Cherche dans un dictionnaire.

c 📼 Réécoute. C'est quelle sorte de film?

2 👥 Invite ton/ta partenaire au cinéma pour voir les films *a–f*.

Il/Elle accepte trois invitations et refuse trois invitations. Ensuite, changez de rôles.

A *Tu veux voir un dessin animé demain soir?*

B *Oui, je veux bien. J'aime beaucoup les dessins animés.*

Expressions-clés

Tu veux voir un film romantique?
D'accord!
Oui, je veux bien.
Non, je ne peux pas.
Non, je n'aime pas beaucoup les films romantiques.

ZOOM sur... *vouloir et pouvoir*

3a Regarde la photo de Théo et Émilie. Après *vouloir* et *pouvoir*, c'est quelle forme du verbe?

(Tu veux + **?** Je ne peux pas + **?**)

b Relis *La belle équipe*, pages 20 et 21. Note les exemples de *vouloir* et *pouvoir* + *verbe*.

4 Lis les bulles. Recopie et complète le tableau.

> Tu veux venir au cinéma demain soir?

> Désolé, demain je ne peux pas sortir.

Émilie **Théo**

vouloir		pouvoir	
je *veux*	nous	je	nous ......
tu	vous	tu	vous ......
il/elle	ils/elles	il/elle	ils/elles ......
on		on	

> Qui veut aller au cinéma? Anne et Christophe font du baby-sitting. Ils ne peuvent pas sortir. Marie et moi, nous voulons voir le film d'horreur au Rex. Vous pouvez venir avec nous!

> Vous ne voulez pas rester à la maison? On peut regarder la télévision. Pierre et Romain veulent rester à la maison. Nous pouvons rester ici avec eux.

146

5 Lis les messages. Réponds aux questions pour chaque message. *Quel film?*
Quand? (jour, heure)
Où?

a Rendez-vous devant le cinéma à quatorze heures quinze demain. Le film, c'est *Nuit des Vampires*.

b On va voir le nouveau film policier samedi au Rex. La séance commence à dix-neuf heures trente et se termine à vingt et une heures cinquante-cinq.

c Tu veux aller voir *La Cinquième Dimension* au Centre Jean Renoir? Le film commence à 20 h 30 ce soir.

6 Le film commence quand? Note l'heure.

1 **Nord et Sud**
2 **LA BOUM**
3 *Flipper le dauphin*
4 Robin des Bois
5 Le sixième continent
6 Fantôme avec chauffeur

Tu regardes trop la télé?

2

> **You will learn how to ...**
> ✓ ask questions in different ways (revision)

Jeu-test

1 Combien d'heures par jour est-ce que tu regardes la télévision?
 a une heure maximum
 b une heure minimum

2 Est-ce que tu regardes la télé tous les soirs?
 a non
 b oui

3 Tu regardes la télé pendant les repas?
 a non
 b oui

4 Est-ce que tu regardes la télé en vacances?
 a non
 b oui

5 Tu connais combien de publicités par cœur?
 a 1–3
 b 3+

6 C'est comment, une semaine sans télévision?
 a Ça va.
 b Ce n'est pas marrant.

Résultats

a = 1 point
b = 3 points

Entre 6 et 10 points:
Bravo! La télévision n'est pas le centre de ta vie.

Entre 11 et 18 points:
Tu regardes beaucoup la télévision. Essaie d'autres passe-temps.

1a Fais le jeu-test.

b [D] Il y a des mots nouveaux dans le jeu-test? Cherche dans un dictionnaire.

Dictionnaire

Dictionnaire bilingue: mode d'emploi

Il y a deux parties:

français–anglais

anglais–français

Il y a le premier mot de la page et le dernier mot.

fraction	frontière
fraction	
	frontière

Ça se dit comme ça!

des/deux

des vidéos   deux vidéos

2 🔊 Écoute la différence.

3 🔊 Prononce bien. Écoute pour vérifier.
 a ***Des*** films romantiques
 b ***Deux*** films de science-fiction
 c À Paris, il y a ***des*** cinémas.
 d À Dieppe, il y a ***deux*** cinémas.

Guide pratique

Les questions

Question	Réponse
• change la prononciation ⎫ • commence avec: *est-ce que …* ⎭	*oui* ou *non*

Question	Réponse

• commence avec:
  combien, comment,
  quand, etc. ⎭
	une information

4 Dans le jeu-test, trouve des questions de chaque type.

Encore!

Recopie les six questions du jeu-test. Dessine une illustration pour chaque question.

5 Invente d'autres questions pour un sondage.
Exemple

Tu regardes la télé pendant les repas?

Tu regardes la télé pendant tes devoirs scolaires?

En plus …

Écris un jeu-test: Tu aimes le cinéma?

Tu sais … ?

✓ parler des émissions de télévision	*J'aime regarder les films. J'adore les dessins animés. Je n'aime pas les infos. Je déteste les feuilletons. C'est drôle/triste. Ce n'est pas mal. C'est sur quelle chaîne? C'est sur France 3.*
✓ demander/donner l'heure/le jour d'une émission ou d'un film	*"Téléshopping", c'est quel jour/à quelle heure? "La Vie de Famille", c'est samedi à 13 h 05.*
✓ choisir une émission	*Qu'est-ce qu'il y a (sur TF1)? Il y a une émission sportive. Tu veux regarder la météo? D'accord. Non, je préfère …*
✓ nommer différents genres de film	*un film policier, un film d'épouvante, une comédie*
✓ inviter quelqu'un au cinéma/ accepter ou refuser une invitation	*Tu veux venir au cinéma avec moi demain soir? Oui, je veux bien. Non, je ne peux pas.*
✓ poser des questions	*Combien d'heures par jour est-ce que tu regardes la télévision? Est-ce que tu regardes la télé tous les soirs?*

Et en grammaire … ?

✓ *aller* + infinitive	*Je vais acheter les billets. On va regarder la météo.*
✓ *vouloir* et *pouvoir*	*Tu veux venir avec moi? On peut regarder la télé demain soir.*

En équipe

Petit guide de la télévision

Travaillez en groupes pour préparer votre guide!

1 Choisissez un jour de la semaine.

Regardez le programme de la télévision dans un magazine ou un journal.
Quelles sont les meilleures émissions? Faites une sélection.
Sur une feuille, notez vos recommandations:
- le titre
- le type d'émission
- la chaîne
- l'heure

Attachez plusieurs feuilles pour faire un guide.

2 Dessinez un poster publicitaire pour une émission.

JEUDI

Notre sélection

EASTENDERS

un feuilleton

sur BBC 1 à 19 heures 30

3 Faites une publicité pour une émission. Donnez beaucoup de détails. Enregistrez votre publicité sur cassette.

> Ce soir, à 18 h 30, sur ITV, il y a le film "Three men and a baby". C'est une comédie américaine et c'est très marrant …

Lundi à 20 heures sur BBC1

A Question of Sport

🎾 Une émission sportive très intéressante

🎾 Un jeu génial

🎾 Si vous aimez le sport, vous allez adorer cette émission!

4 Enregistrez des interviews sur le thème de la télévision. Préparez d'avance vos questions. (Relisez la page 28 pour vous donner des idées.)

> Combien d'heures par jour tu regardes la télévision? Tu regardes la télé pendant les repas?

Équipe-Magazine

Quelles questions!

Refrain
On va au cinéma?
Tu veux?
Tu veux venir?
Tu peux?
Tu peux venir?
Et qu'est-ce que tu veux voir?

Est-ce que tu aimes les dessins animés,
les films romantiques ou les films policiers?
Et c'est quel jour
Le film d'amour?
C'est vendredi
La comédie?
C'est à quelle heure
Le film d'horreur?
Refrain

Combien ça coûte, deux billets pour ce soir?
Je n'ai pas d'argent, tu peux payer pour moi?
C'est la vedette?
Elle est chouette!
Pourquoi elle crie?
Pourquoi tu ris?
Ah, c'est fini?
Où est la sortie?
Refrain

Comment choisir sa chaîne sur le câble?
Voici une sélection de chaînes du câble.

MTV

C'est la **chaîne musicale** américaine. Tout en anglais. Au programme: des **clips** et des **concerts** (Nirvana, Jamiroquai, Aerosmith, Madonna, U2 ...)

CANAL J

C'est la chaîne des enfants entre 2 et 14 ans. On y trouve des **dessins animés** comme *Chapi Chapo* pour les petits, ou *Snoopy* et *Spirou* pour les plus grands ...
On retrouve aussi des séries: *Rintintin, Skippy, Lassie,* et des **films**, le mercredi après-midi à 13 h 35.

EUROSPORT

Ici, du **sport** 24 heures sur 24: de grands événements (les Jeux Olympiques, le championnat de France de basket, la coupe du monde de ski ...) et des sports que l'on voit rarement à la télé: le tir à l'arc, les arts martiaux, le basket, les fléchettes, le sumo ...

La belle équipe

Épisode 3

On sort

Karima: Tu as regardé les infos régionales à la télé hier soir, Nathalie?

Nathalie: Non, j'ai retrouvé des copains au club des jeunes. Pourquoi?

Karima: Il y avait un reportage sur le kidnapping de chiens ici à Dieppe!

Nathalie: À Dieppe? Alors, peut-être que Dingo …

Martin et Antoine arrivent.

Antoine: Salut!

Martin: Nathalie, tu as regardé les infos à la télé hier soir?

Karima: Pauvre Dingo!

Martin: Qu'est-ce qu'on fait?

Antoine: On se retrouve après les cours et on discute. On peut aller au café.

Nathalie: Bonne idée!

Tu veux venir au café après les cours?

Euh … non, je ne peux pas. Je dois faire mes devoirs.

Après les cours

Serveur: Vous désirez?

Antoine: Moi, je voudrais un coca et un sandwich au fromage.

Nathalie: Pour moi, un orangina, s'il vous plaît.

Martin: Un sandwich au jambon et un chocolat chaud pour moi.

...

Martin: Qu'est-ce que tu as fait hier soir, Antoine?

Antoine: J'ai écouté de la musique et j'ai regardé un documentaire à la télé. Et toi?

Martin: J'ai fait du vélo et j'ai joué au foot dans le parc.

Nathalie: Chut! Écoutez!

Homme: Chiens ... tests en laboratoires ... mille francs ...

Où est le téléphone? Vite!

À suivre ...

1 Avant de lire, devine. Ça se dit comment en anglais?

infos régionales   kidnapping

reportage   tests   documentaire

laboratoire   téléphone

2 Trouve dans le texte:
 a un animal
 b trois boissons
 c deux choses à manger
 d quatre passe-temps
 e un numéro

3 Écoute et lis l'histoire. Vrai ou faux?
 a Karima a regardé la télé hier soir.
 b Nathalie a regardé la télé hier soir.
 c Antoine a mangé des frites au café.
 d Nathalie a bu un coca au café.
 e Martin a mangé du chocolat au café.
 f Martin a mangé un sandwich au café.
 g Martin a fait du sport hier soir.
 h Antoine a fait ses devoirs hier soir.

On organise un rendez-vous

You will learn how to ...

✓ ask someone if they would like to do something: *Tu veux aller à la piscine?*

✓ say that you would like to: *Oui. Je veux bien.*

✓ arrange a time to meet: *On se retrouve à quelle heure? À sept heures et demie.*

✓ arrange a place to meet: *On se retrouve où? Au cinéma. Chez moi. Devant la piscine.*

1 Écoute les conversations. C'est quelle photo?
Exemple *1 – c*

2 Regarde les photos de l'activité 1. Écoute et note l'heure.
Exemple *a – six heures*

3a Organise des rendez-vous avec ton/ta partenaire. Note les activités et les heures.
Exemple

A: Tu veux faire du vélo?
B: Oui, je veux bien.
A: On se retrouve à quelle heure?
B: À cinq heures et demie.

b Vérifie les activités et les heures avec ton/ta partenaire.

> *Alors, on va faire du vélo à cinq heures et demie, c'est ça?*

A

> *Oui, c'est ça!*

B

Expressions-clés

Tu veux aller au cinéma/parc?
      à la piscine/plage/patinoire?
      en ville?
      faire du vélo/skate/patinage?
      faire de la voile?
      danser/nager?

Oui, je veux bien.

On se retrouve à quelle heure?
À sept heures (et demie, et quart, moins le quart).

4a Lis ces messages et note les détails importants.
Exemple

	Activité	Heure	Où
a	café	4h	chez Yannick

a

Tu veux aller au café?
On se retrouve à quatre
heures chez moi.
À plus tard!
Yannick

c

Salut, Amélie!
Tu veux aller au cinéma
ce soir? Il y a un bon
film policier! On se
retrouve à sept heures
chez toi? Le film
commence à sept heures
et demie.
Lise

b

Tu veux aller à la piscine ce soir?
On se retrouve à sept heures et
demie à la piscine! Téléphone-moi!
Christelle

d

Cher Éric,
Tu aimes faire du patinage? Tu
veux aller à la patinoire ce soir?
On se retrouve à sept heures et
quart au café. Tu veux?
Amitiés, Jeanne

e

Tu veux aller en ville avec moi?
On se retrouve devant la
bibliothèque à dix heures
moins le quart.
Alex

4b Qui …
  a aime la natation?
  b veut voir un film?
  c aime le sport?
  d va boire un orangina?
  e va faire les magasins?

4c Écoute les trois personnes qui laissent des messages. C'est qui?
Exemple *1 – Lise*

4d **A** Choisis une identité (par exemple, Yannick). Téléphone à ton/ta partenaire pour organiser un rendez-vous. **B** Réponds à l'invitation.
Exemple

A: Allô! Ici Yannick. Tu veux aller au café?
B: Oui, je veux bien. On se retrouve à quelle heure?
A: À quatre heures.
B: D'accord. On se retrouve où?
A: Chez moi?
B: D'accord. À plus tard!

Expressions-clés

On se retrouve où?
Au café
À la piscine
Devant la bibliothèque
Chez moi/toi

Que d'excuses!

You will learn how to …

✓ say that you don't want to do something: *Ça ne me dit rien. Je n'aime pas ça!*

✓ give excuses: *Je ne peux pas. Je dois faire mes devoirs, ranger ma chambre …*

✓ reply tactfully

1 🔊 Écoute. Mets les excuses dans l'ordre.

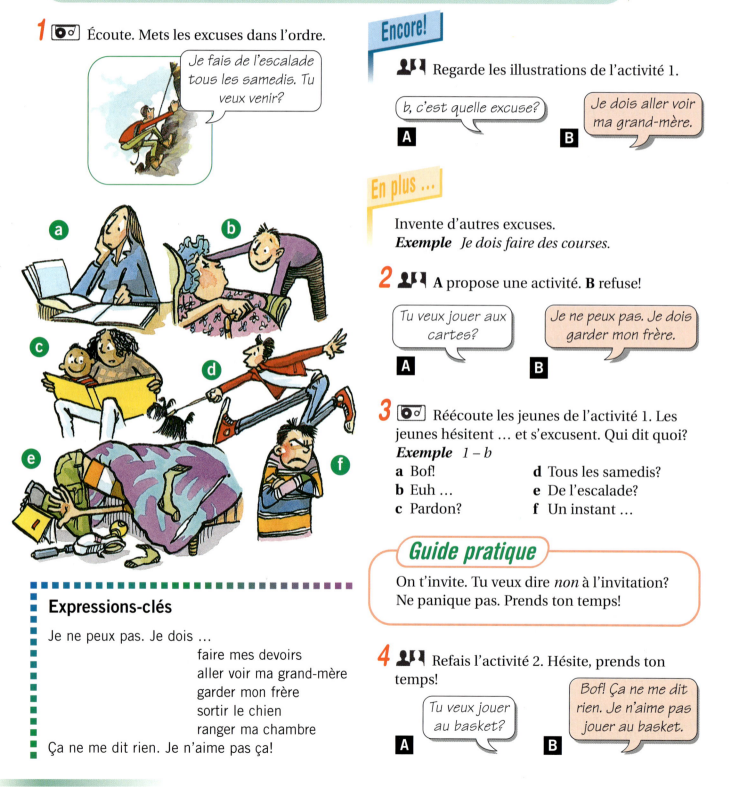

> *Je fais de l'escalade tous les samedis. Tu veux venir?*

Encore!

👥 Regarde les illustrations de l'activité 1.

A *b, c'est quelle excuse?*

B *Je dois aller voir ma grand-mère.*

En plus …

Invente d'autres excuses.
Exemple *Je dois faire des courses.*

2 👥 **A** propose une activité. **B** refuse!

A *Tu veux jouer aux cartes?*

B *Je ne peux pas. Je dois garder mon frère.*

3 🔊 Réécoute les jeunes de l'activité 1. Les jeunes hésitent … et s'excusent. Qui dit quoi?
Exemple *1 – b*

a Bof!   **d** Tous les samedis?
b Euh …   **e** De l'escalade?
c Pardon?   **f** Un instant …

Guide pratique

On t'invite. Tu veux dire *non* à l'invitation? Ne panique pas. Prends ton temps!

Expressions-clés

Je ne peux pas. Je dois …

    faire mes devoirs
    aller voir ma grand-mère
    garder mon frère
    sortir le chien
    ranger ma chambre

Ça ne me dit rien. Je n'aime pas ça!

4 👥 Refais l'activité 2. Hésite, prends ton temps!

A *Tu veux jouer au basket?*

B *Bof! Ça ne me dit rien. Je n'aime pas jouer au basket.*

Samedi, ça me dit!

Refrain
Aujourd'hui, c'est samedi,
Je suis tout seul et je m'ennuie.

Je téléphone à Nicolas
"Ça te dit d'aller à la plage?"
Il me dit: "Non, je ne peux pas,
Je dois aller à un mariage."
Refrain

Je téléphone à Florentin
"Tu veux aller à la piscine?"
Il me dit: "Bof, ça ne me dit rien.
Je préfère faire la cuisine!"
Refrain

Je téléphone à Rebecca
"On se retrouve à la patinoire?"
Elle me dit: 'Non, je n'aime pas ça
En plus, je dois faire mes devoirs."
Refrain

Au téléphone, c'est Benjamin
"Viens à ma boum, si ça te dit!"
Je lui réponds: "Oui, je veux bien
C'est samedi et ça me dit!"

Refrain
Aujourd'hui, c'est samedi
Je ne suis pas seul, fini l'ennui!

Mais quand j'arrive chez Benjamin
Devinez qui est déjà là!
Nicolas et Florentin
Accompagnés de Rebecca!

Refrain
Aujourd'hui, c'est samedi
Mais les copains, ça ne me dit rien!

5 🔘 Écoute et chante.

6 Relie les personnes aux excuses.

① Nicolas ② Florentin ③ Rebecca

a b c

7 Ça se dit comment en français?
  a Come to my party.
  b It's Benjamin on the phone.
  c I don't feel like it.
  d I have to do my homework.
  e Do you feel like going to the beach?

Le week-end dernier

You will learn how to …
✓ ask someone what they did last weekend: *Qu'est-ce que tu as fait le week-end dernier?*
✓ say what you did last weekend: *J'ai joué au football, j'ai regardé un film, j'ai fait mes devoirs …*

a DIEPPE
Cinéma Le Rex
De grandes espérances, séances mercredi, samedi, mardi à 20 h 45, jeudi, vendredi, lundi à 14 h 15, dimanche à 14 h 15.

b PISCINE DIEPPE
FRONT DE MER
1 PERSONNE

d KASSAV
Tékit izi
LES VISITEURS

e TéLé Loisirs
Câble et satellites
David Ginola

f

g *Séverine t'invite à une boum samedi de 19h30 à ?*
RSVP Tél: 02 40 53 12 06

2b 🕴🕴 Regarde les documents.

Qu'est-ce que tu as fait le week-end dernier?
A

J'ai regardé un film.
B

C'est a.
A

1 ⏺ Écoute Martin et regarde les documents. Note les activités dans le bon ordre.
Exemple *samedi – c, …*
            dimanche –
Qu'est-ce qu'il ne mentionne pas?

2a Relie pour faire des expressions-clés.
Exemple *J'ai joué au basket.*

J'ai	regardé	au basket
	acheté	la télévision
	joué	mes copains
	retrouvé	des baskets
	nagé	de la musique
	écouté	à la piscine

Ça se dit comme ça!

Le présent et le passé composé

3 ⏺ Écoute la différence.
*Aujourd'hui, **je joue** aux cartes.*
*Le week-end dernier, **j'ai joué** aux cartes.*

4 ⏺ C'est aujourd'hui (a) ou le week-end dernier (b)?
Exemple *1 – a, 2 – b, …*

ZOOm sur... *le passé composé*

Qu'est-ce que tu as fait hier soir, Antoine?

J'ai *écouté* de la musique et j'ai *regardé* un documentaire à la télé.

le verbe avoir

le participe passé

5 Quel est le participe passé de ces verbes?
Exemple

       é
mang**er** ➔ *mangé*

a écouter   b regarder   c jouer
d acheter   e nager

Exception! faire > fait

Je fais mes devoirs.

J'ai fait mes devoirs.

147

Rappel avoir

j'ai
tu as
il/elle/on a

6 Fais des maths! Recopie et change les infinitifs.
Exemple *a – J'ai joué au football.*
a Je + avoir + jouer + au football.
b Tu + avoir + regarder + le film?
c Il + avoir + acheter + une cassette.
d Je + avoir + danser + au club des jeunes.
e On + avoir + retrouver + des copains au parc.

Dictionnaire

Si tu veux trouver un verbe dans le dictionnaire, pense à l'infinitif!
Exemple J'ai fait mes devoirs.

faire

7 Trouve l'infinitif.
a J'ai trouvé le mot dans le dictionnaire.
b Il a retrouvé ses copains au collège.
c Tu as mangé le croissant?

8a 📼 Qu'est-ce qu'Antoine, Nathalie et Karima ont fait le week-end dernier? Note les réponses.
Exemple Antoine – télé, devoirs, boum, foot

b Quelqu'un a fait des activités comme toi?

Guide pratique

Tu dois noter les réponses en français. Ne panique pas!

Tu écoutes:

Samedi, j'ai regardé la télévision chez moi.

Ne note pas la phrase, mais un mot-clé.

télé

Au café

1a 📼 Écoute les cinq personnes au café. Note les détails.

Exemple

Boisson	Snack	Prix
jus d'orange	sandwich au jambon	34F

1b Le serveur a fait une erreur dans l'addition. Pour qui?

2 👥 **A** est serveur/serveuse. **B** commande. **A** prépare l'addition.

Vous désirez?
A

Je voudrais un Pepsi et un sandwich au thon. Ça fait combien?
B

pepsi	18F
sandwich/thon	22F
total	40F

Ça fait quarante francs.
A

3 📼 C'est quelle question? Écoute et note la lettre.

Exemple *1 – f*

a   b   c   d   e   f

Notre brasserie

Les Boissons Rafraîchissantes

1/4 Vichy, 1/4 Evian	13,00	1/4 Limonade	13,00
Lait froid	12,00	Perrier 33cl	17,00
Pepsi, Gini	16,00	Orangina	16,00
Jus de fruits	16,00		

Les Sandwichs "Baguette"

Jambon beurre	18,00	Thon	24,00
Jambon-fromage	22,00	Crabe	24,00
Fromage	18,00	Poulet	24,00

Les Crêpes Repas

Beurre	15,00	Fromage	26,00
Œuf	26,00	Jambon	26,00
Jambon-fromage	34,00		

Les Boissons Chaudes

Café	7,50	Café double	14,00
Décaféiné	8,00	Café crème	15,00
Lait chaud	12,00	Chocolat	15,00
Thé de Ceylan	17,00	Earl Grey	17,00

Expressions-clés

Où est le téléphone?
Où sont les toilettes?
Je peux avoir une serviette?
        un verre?
        de l'eau?
        du sel?

Serveur: Vous désirez?
  Client: Je voudrais une limonade et un
                 sandwich au jambon.
                          …
Serveur: Voilà.
  Client: Ça fait combien?
Serveur: Ça fait trente et un francs.
  Client: Je peux avoir une serviette?
Serveur: Oui, voilà.
                          …
  Client: Où sont les toilettes, s'il vous plaît?
Serveur: Là-bas, à gauche.
  Client: Merci.

4a Lis et écoute.

 b Choisis un adjectif. Joue la conversation
avec caractère.

fatigué(e)

cool

pressé(e)

snob

timide

Encore!

Apprends la conversation.

En plus …

Apprends la conversation, mais change
des éléments.

A *Vous désirez?*

B *Je voudrais un coca …*

Tu sais … ?

✓ organiser des rendez-vous	*Tu veux aller à la piscine? Tu veux faire du vélo? Oui, je veux bien.*
	On se retrouve à quelle heure? À six heures et demie.
	On se retrouve où? Chez moi, près du cinéma, devant le café.
✓ donner des excuses	*Je ne peux pas. Je dois faire mes devoirs. Ça ne me dit rien.*
✓ parler du week-end dernier	*J'ai acheté des pommes au marché, j'ai retrouvé mes copains au club*
	des jeunes, j'ai regardé la télévision, j'ai fait mes devoirs …
✓ parler avec le serveur/la serveuse au café	*Je voudrais des frites et un chocolat chaud. Ça fait*
	combien? Où sont les toilettes?

Et en grammaire … ?

✓ le passé composé	*Qu'est-ce que tu as fait?*
	J'ai acheté des pommes au marché avec Marc.

En équipe

Vous allez créer une pièce de théâtre. La scène? Dans un café!

1a Préparez un menu pour le café.

Notre brasserie

Les Boissons Rafraîchissantes

1/4 Vichy, 1/4 Evian	13,00	1/4 Limonade	13,00
Lait froid	12,00	Perrier 33cl	17,00
Pepsi, Gini	16,00	Orangina	16,00
Jus de fruits	16,00		

Les Sandwichs "Baguette"

Jambon beurre	18,00	Thon	24,00
Jambon-fromage	22,00	Crabe	24,00
Fromage	18,00	Poulet	24,00

Les Crêpes Repas

Beurre	15,00	Fromage	26,00
Œuf	26,00	Jambon	26,00
Jambon-fromage	34,00		

Les Boissons Chaudes

1b Faites des conversations simples.

Exemple

A: Vous désirez?
B: Je voudrais un café et un sandwich au fromage.
A: Voilà.
B: Ça fait combien?
A: Ça fait trente-sept francs.

2 Choisissez les personnages et leurs caractéristiques.

Exemple   serveur – pressé
papa – impatient
maman – fatiguée
adolescent – timide

3 Organisez les accessoires.
Exemple

> table
> vase
> 4 chaises
> carnet et stylo pour le serveur

4 Écrivez votre texte avec des conversations au café. Voilà quelques idées:

– Je voudrais un coca, s'il vous plaît.
– Je regrette, il n'y a pas de coca.
– Pas de coca! Impossible!

– Tu as vu le film policier au cinéma Rex?
– Oui, c'est un film fantastique.

– Où est le téléphone?
– Vous sortez du café. Vous tournez à gauche et vous prenez la deuxième rue à droite. Le téléphone est près de la piscine.
– Il n'y a pas de téléphone dans le café?

5 Apprenez vos rôles et jouez avec enthousiasme. Vous êtes en scène!

Équipe-Magazine

Le chien a mangé mon hamster!

Papa a dansé avec le Président!

Tu as vu les martiens sur la plage?

On a kidnappé 20 chiens!

J'AI BU DU POISON!

Céline

"...ma fille adore aller chez Quick : elle mange un repas complet et elle a le plaisir de découvrir chaque semaine une nouvelle surprise !"

Q Qualité

La Magic Box
le menu préféré des enfants

Pour faire plaisir à vos enfants, rien de plus simple. Quick a réuni tout ce qu'ils aiment dans la Magic Box !

Un menu complet avec un délicieux hamburger ou des bâtonnets de poulet (à eux de choisir selon leur envie), des frites craquantes, une boisson fraîche et même un dessert pour tous les gourmands... Le Danone à Boire, c'est un dessert sain, lacté, avec un vrai goût de fraise, un conditionnement très pratique et très rigolo. Sans oublier bien sûr, la surprise cachée dans la Magic Box !

Vous aimez le fast-food? Attention aux calories!

un hamburger Giant	une portion de frites
551 calories	268 calories
un Softy Cup (crème glacée)	un milk-shake
166 calories	396 calories

N'oubliez pas … c'est un repas complet, pas un casse-croûte!

Révisions Unités 1, 2, 3

Regarde les sections "Tu sais …?"
pages 17, 29 et 41.

1a Trouve la bonne réponse pour chaque message.

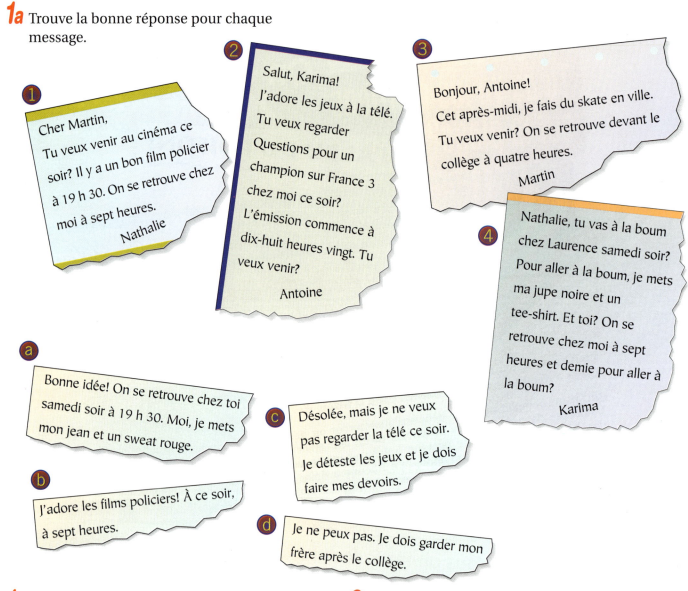

1 Cher Martin,
Tu veux venir au cinéma ce soir? Il y a un bon film policier à 19 h 30. On se retrouve chez moi à sept heures.
Nathalie

2 Salut, Karima!
J'adore les jeux à la télé. Tu veux regarder Questions pour un champion sur France 3 chez moi ce soir? L'émission commence à dix-huit heures vingt. Tu veux venir?
Antoine

3 Bonjour, Antoine!
Cet après-midi, je fais du skate en ville. Tu veux venir? On se retrouve devant le collège à quatre heures.
Martin

4 Nathalie, tu vas à la boum chez Laurence samedi soir? Pour aller à la boum, je mets ma jupe noire et un tee-shirt. Et toi? On se retrouve chez moi à sept heures et demie pour aller à la boum?
Karima

a Bonne idée! On se retrouve chez toi samedi soir à 19 h 30. Moi, je mets mon jean et un sweat rouge.

b J'adore les films policiers! À ce soir, à sept heures.

c Désolée, mais je ne veux pas regarder la télé ce soir. Je déteste les jeux et je dois faire mes devoirs.

d Je ne peux pas. Je dois garder mon frère après le collège.

1b Écris un message comme Martin, Nathalie, Antoine ou Karima.

c Échange ton message avec un(e) partenaire. Écris une réponse.

2a Écoute. Pour chaque conversation, note:

quel film?   heure?   on se retrouve où?

2b Invente des conversations.
Exemple

A: Tu veux aller au cinéma ce soir?
B: Oui, c'est quel film?
A: C'est un film romantique.
B: Le film commence à quelle heure?
A: À sept heures trente.
B: Et on se retrouve où?
A: Chez moi?
B: D'accord.

3a C'est quel look? Habillé, décontracté ou sport?
Exemple   a – C'est le look décontracté.

3b 🔊 Écoute. C'est qui?

c 👥 Interviewe tes camarades de classe. Quel look est le plus populaire?
Exemple

A: C'est quoi, ta tenue préférée?
B: Ma tenue préférée, c'est un caleçon, un tee-shirt et des baskets.
A: Tu aimes le look sport?
B: Oui, c'est ça!

4a Recopie et complète le texte.

Quelle journée! Le matin, j'ai ...... des copains en ville et on a ...... du shopping. Moi, j'ai ...... un sweat bleu et des baskets. L'après-midi, j'ai ...... au football, j'ai ...... de la musique et j'ai .... Le soir, j'ai ...... un film de science-fiction au cinéma. Super!

écouté   retrouvé   vu   nagé   fait   joué   acheté

b Relis le texte. Mets les activités dans le bon ordre et note les lettres. C'est qui?

La belle équipe

Épisode 4

Nathalie a téléphoné à la police.

Karima: Ils ont arrêté les kidnappeurs?

Martin: Oui, au café!

Antoine: Tu n'as pas voulu venir au café, Karima … Pourquoi?

Martin: Allez, je rentre! Tu viens, Antoine?

Les deux filles sont seules.

Karima: Tu sais, je voudrais bien sortir avec vous … mais je n'ai pas beaucoup de temps libre.

Nathalie: Ah non?

Karima: Je dois aider ma mère à la maison.

Nathalie: Oui, moi aussi … Aujourd'hui, j'ai rangé ma chambre et j'ai fait mon lit.

Karima: Moi, ce matin j'ai fait le ménage. Et cet après-midi, j'ai fait les courses avec maman, et puis j'ai préparé les légumes pour le dîner.

Ce soir-là, Nathalie explique tout à Antoine et Martin.

Nathalie: Karima veut sortir avec nous, mais elle n'a pas beaucoup de temps libre …

Martin: La porte!

Nathalie: C'est la police!

Agent: Votre chien, mademoiselle.

Nathalie: Dingo!

Antoine: Tout est bien qui finit bien, non?

Martin: Oh, il est neuf heures. Je dois rentrer.

Martin, écoute … Je pars. Je vais habiter à Nice.

Oh, non! Maman! Reste à Dieppe!

À suivre …

1 Avant de lire l'épisode, trouve les paires:

a	une chambre	**1**	dinner
b	un lit	**2**	vegetables
c	arrêter	**3**	to go out
d	sortir	**4**	to go home
e	rentrer	**5**	to arrest
f	le dîner	**6**	a bedroom
g	les légumes	**7**	a bed

2 📼 Écoute et lis l'épisode. Ça se dit comment en français?

a You didn't want to come to the café.

b I don't have much free time.

c I made my bed.

d I tidied my bedroom.

e I went shopping with my Mum.

f I did the housework.

g Stay in Dieppe.

h I must go home.

3 Mets les phrases dans le bon ordre pour résumer l'épisode.

Exemple b, …

a Un policier arrive avec Dingo.

b Nathalie et ses amis vont chez Karima.

c Tout le monde est content.

d Martin a une mauvaise surprise: sa mère va à Nice.

e Nathalie explique tout à Antoine et Martin.

f Karima explique à Nathalie qu'elle n'a pas beaucoup de temps libre.

g Antoine ne comprend pas pourquoi Karima ne sort pas.

Ma journée

a À sept heures, je me réveille.

b À sept heures dix, je me lève ...

c ... et je me lave.

d À sept heures vingt, je m'habille.

e À sept heures vingt cinq, je prends le petit déjeuner.

f À huit heures moins le quart, je me brosse les dents.

1a 📼 Regarde les dessins. Écoute et lis.

b 📼 Écoute Alice. C'est quel dessin?

2 Recopie et complète le questionnaire pour Alice.

Expressions-clés

Je me réveille.
Je me lève.
Je me lave.
Je m'habille.
Je prends le petit déjeuner.
Je me brosse les dents.

Questionnaire:

Nom: *Alice Delamarre*

À quelle heure est-ce que ...

... tu te réveilles?	Je me réveille à sept heures.
... tu te lèves?	Je me lève ......
... tu t'habilles?	......
... tu prends le petit déjeuner?	......
... tu te laves?	......
... tu te brosses les dents?	......

3 👥 Interviewe ton/ta partenaire. Pose les questions du questionnaire.

4 Recopie et complète le questionnaire pour toi.

24 heures avec un top footballeur

Le footballeur Pierre Rousseau est un attaquant brillant.
On fait un documentaire sur un jour de match.

5 Relie les descriptions aux illustrations.
Exemple 1 – d

a À 20 h 30, le match commence.
b Au stade, il se prépare pour l'entraînement. Il s'habille dans les vestiaires.
c L'après-midi, il se repose en famille à la maison.
d À 8 h 30, le réveil sonne. Pierre se réveille.
e De 10h à 11h, il s'entraîne avec le reste de l'équipe.
f À midi, il fait une interview pour la télé.

6 **A** décrit une illustration. **B** donne le numéro de l'illustration.

A *Il se réveille.*

B *Numéro 1.*

Zoom sur... les verbes pronominaux

Dans les verbes **pronom**inaux, il y a **un pronom**.

Quel pronom?
Ça dépend de la personne.

7 Quel pronom? (Relis les pages 48 et 49 pour trouver des exemples.)
a Je ...... réveille.   **b** Tu ...... lèves.
c Il ...... repose.

Pour l'infinitif, le pronom, c'est **se** (ou **s'**).

8 Recopie et complète la grille.

infinitif	je	tu	il/elle/on
se réveiller	je me réveille		
se lever		tu te lèves	
s'habiller			il s'habille
		je me lave	
se reposer		tu te reposes	

 148

Opinions

You will learn how to …

✓ understand some comments about teenagers: *Ils se couchent tard. Le week-end, ils ne se lèvent pas avant midi.*

✓ agree/disagree with other people's opinions: *Je suis d'accord. Je ne suis pas d'accord.*

Bonjour le soleil

Refrain
Tu [1] le matin
Et le monde [2]
Et tu brilles
Et la vie
Est plus belle.
Bonjour, bonjour le soleil,
Tu [3] et le monde [4].

Au soleil, sous la pluie,
On [5], on [6].
À midi, à minuit,
C'est normal, c'est la vie.
Refrain

Je [7], je [8],
Au collège, c'est lundi.
Vivement samedi!
C'est normal, c'est la vie.
Refrain

Je [9] chaque soir,
Je [10], tôt ou tard,
Doucement, sans cauchemars,
C'est normal, c'est comme ça.
Refrain

1a 📻 Écoute la chanson.

b 📻 Réécoute et lis la chanson. Remplace les chiffres avec les verbes:

s'amuse   me lève   te lèves   se réveille
s'ennuie   m'endors   te lèves   se réveille
m'habille   me couche
Exemple *[1] – te lèves*

c 📻 Chante avec la cassette.

Guide pratique

Tu fais une traduction? Attention!

2 Voici des extraits de la chanson. Choisis la bonne traduction, *a* ou *b*.

1 sous la pluie   **a** under the rain
                  b in the rain

2 au soleil   **a** at the sunshine
                  b in the sunshine

3 c'est la vie   **a** it's the life
                  b that's life

4 on s'ennuie   **a** we get bored
                  b we bore ourselves

Dictionnaire

- Tu cherches *un verbe* dans le dictionnaire? Cherche *l'infinitif*.

Exemple *je glisse* ➜ **glisser**
*[regarde à la lettre **g**]*

glapir	141	gour
gliss/er		

- Tu cherches *un verbe pronominal*? Cherche *l'infinitif*.

Exemple *tu t'ennuies* ➜ *s'ennuyer*
*[regarde à la lettre **e**]*

ennemi	112	ensu
ennuyer		

3 💻 Mets les verbes à l'infinitif et cherche dans un dictionnaire.

Le dimanche, *je me promène* en ville avec mon grand frère. *Il se moque* de moi. *On se dispute* toujours. Le soir, *je me couche* à dix heures et *je m'endors* tout de suite.

Opinions sur … les adolescents

a *Ils ne sont pas sympa.*

b *Ils se couchent tard.*

c *Ils ne respectent pas la discipline.*

d *Ils se ressemblent tous.*

e *Le week-end, ils ne se lèvent pas avant midi.*

f *Ils se disputent avec leurs frères et sœurs.*

g *Ils ne s'intéressent pas au travail scolaire.*

h *Ils s'ennuyent toujours.*

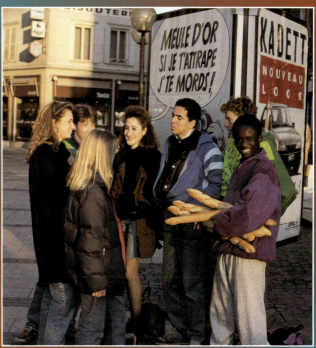

4a Lis les opinions. Tu es d'accord?
Exemple *Oui, je suis d'accord./Non, je ne suis pas d'accord.*

b Écoute les interviews dans la rue. Note les opinions dans l'ordre mentionné.
Exemple *a, …*

c Lis l'opinion de Martin. Continue les contradictions. Écoute la cassette pour vérifier.

En général, les adolescents sont sympa. Ils ne se couchent pas tard. Ils respectent la discipline …

ZOOM sur … **les verbes pronominaux au négatif**

je **ne** m'ennuie **pas**
tu **ne** t'amuses **pas**? ils **ne** s'ennuyent **pas**

5 Mets les phrases à la forme négative.
a Je me lève tard.
b Tu te couches avant minuit.
c Martin s'intéresse au sport.
d On s'ennuie.
e Ils se réveillent avant toi.

6 Les opinions *a–h*, elles sont vraies pour toi?
Exemple *Je ne me couche pas tard.*

149

Expressions-clés

ils/elles   **se** lèv**ent**   Oui, je suis d'accord.
         se couch**ent**   Non, je ne suis pas d'accord.
         se disput**ent**
         se ressembl**ent**
         s'intéress**ent**
         s'ennuy**ent**

J'ai donné un coup de main

You will learn how to …

✓ name different household chores: *ranger sa chambre, faire la vaisselle*

✓ say what you/others have done to help at home: *Qu'est-ce que tu as fait? Hier, j'ai rangé ma chambre, j'ai fait mon lit. Tu as fait ton lit? Il a fait les courses.*

Pour aider à la maison, on peut …

a RANGER SA CHAMBRE
b FAIRE LA CUISINE
c FAIRE LE MÉNAGE
d FAIRE LES COURSES
e FAIRE SON LIT
f METTRE LE COUVERT
g FAIRE LA VAISSELLE

1a 📼 Écoute. Note les suggestions de Martin, Nathalie, Antoine, Flore, Thomas et Kristelle.
Exemple Martin – e

b 👥 **A** mime une tâche. **B** devine.

B Faire le ménage?

1c Fais une liste des tâches. 1 = la plus agréable, 7 = la moins agréable.

2 📼 Recopie la liste des tâches. Écoute et complète.

	Julie	David	Charline
lundi		faire les courses	
mardi	faire le ménage		
mercredi			faire la cuisine
jeudi	ranger la chambre		
vendredi		faire la vaisselle	

3 🔲 Écoute Karima. Trouve le dessin qui ne va pas.

4 👥 Interviewe ton/ta partenaire.
Exemple

A: Qu'est-ce que tu as fait ce week-end?
B: J'ai fait mon lit et j'ai fait la vaisselle.
A: Tu as rangé ta chambre?
B: Non, je n'ai pas rangé ma chambre. Je déteste ça!

5 Qu'est-ce qu'ils ont fait hier?
Exemple Pierre a mis le couvert, il a fait les courses et il a …

Encore!

Qu'est-ce que tu as fait pour aider à la maison hier?

En plus …

Décris ce que chaque membre de ta famille a fait hier.
Exemple

J'ai … Mon père a … Ma mère a …

Ça se dit comme ça!

Attention! En français, *qu* se prononce *k*.

*Le s**k**i
Un garçon glissant sur ses s**k**is,
disait: "Ah! le s**k**i, c'est ex**qu**is,
je me demande bien ce **qu**i
est plus commode **qu**e le s**k**i!"*

un poème de Pierre Gamarra

6a 🔲 Écoute et lis le poème.

b Lis le poème à haute voix. Apprends par cœur.

Expressions-clés

Qu'est-ce que tu as fait?
Lundi,   j'ai fait la cuisine
Hier,   j'ai fait mon lit
Ce week-end,   j'ai fait la vaisselle
                j'ai fait le ménage
                j'ai fait les courses
                j'ai mis le couvert
                j'ai rangé ma chambre
Tu as fait ton lit? Non, je n'ai pas fait mon lit.
Qu'est ce que Max a fait? Il a rangé sa chambre.

Cher correspondant

You will learn how to …

✔ write a letter to a penfriend describing your daily routine: *Pendant la semaine, je me lève à sept heures. Hier, je n'ai pas fait mes devoirs.*

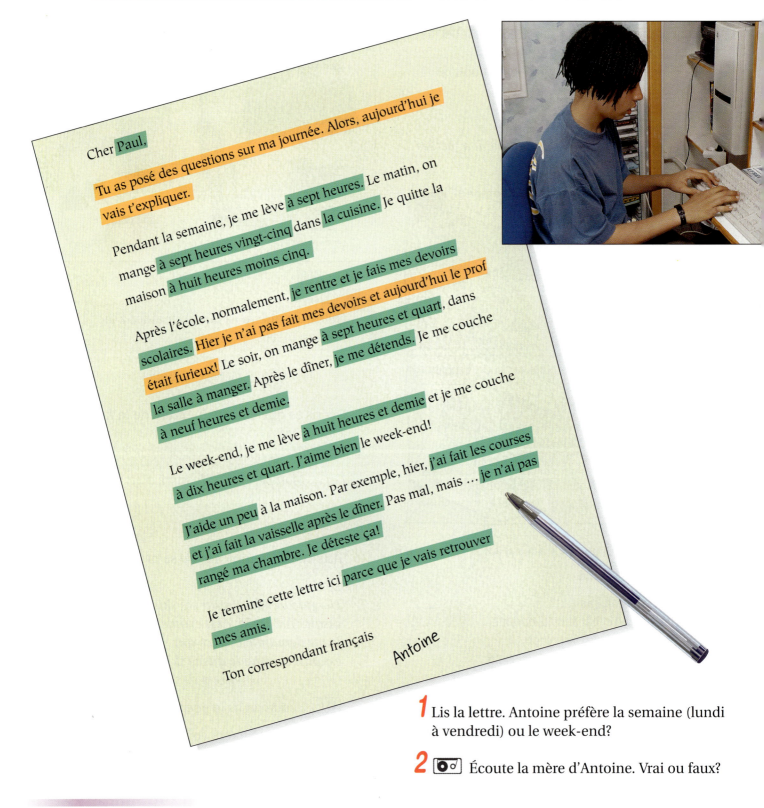

Cher Paul,

Tu as posé des questions sur ma journée. Alors, aujourd'hui je vais t'expliquer.

Pendant la semaine, je me lève à sept heures. Le matin, on mange à sept heures vingt-cinq dans la cuisine. Je quitte la maison à huit heures moins cinq.

Après l'école, normalement, je rentre et je fais mes devoirs scolaires. Hier je n'ai pas fait mes devoirs et aujourd'hui le prof était furieux! Le soir, on mange à sept heures et quart, dans la salle à manger. Après le dîner, je me détends. Je me couche à neuf heures et demie.

Le week-end, je me lève à huit heures et demie et je me couche à dix heures et quart. J'aime bien le week-end!

J'aide un peu à la maison. Par exemple, hier, j'ai fait les courses et j'ai fait la vaisselle après le dîner. Pas mal, mais … je n'ai pas rangé ma chambre. Je déteste ça!

Je termine cette lettre ici parce que je vais retrouver mes amis.

Ton correspondant français   Antoine

1 Lis la lettre. Antoine préfère la semaine (lundi à vendredi) ou le week-end?

2 📼 Écoute la mère d'Antoine. Vrai ou faux?

149

Guide pratique

Adapter un texte

Pour adapter un texte:
- choisis les éléments à changer (en vert dans la lettre d'Antoine)
- choisis les éléments à éliminer (en orange dans la lettre)

3 Écris une lettre et décris ta journée. Adapte la lettre d'Antoine. (Élimine les expressions en orange. Change les expressions en vert.)
Exemple *Pendant la semaine, je me lève à sept heures dix.*

ZOOM sur… *le passé composé au négatif*

✓ *j'ai rangé ma chambre*

✗ *je n'ai **pas** rangé ma chambre*

✓ *ils ont fait les courses*

✗ *ils n'ont **pas** fait les courses*

4 Mathieu Lementeur ne dit pas la vérité. Recopie et mets les phrases à la forme négative.

Ce matin, j'ai fait mon lit et j'ai rangé ma chambre. Marion a mis le couvert pour le petit déjeuner et elle a préparé le café. Mes parents ont fait les courses l'après-midi, et ils ont fait le ménage. Papa a fait la cuisine à sept heures et Marie et moi nous avons fait la vaisselle.

Tu sais … ?

✓ parler de ta journée	*À quelle heure est-ce que tu te réveilles? Je me réveille à sept heures vingt. Je me lève à sept heures et demie.*
✓ décrire la journée de quelqu'un	*Il se repose, elle s'habille, ils se couchent …*
✓ dire si tu es d'accord	*Je suis d'accord. Je ne suis pas d'accord.*
✓ parler des travaux ménagers	*Qu'est-ce que tu as fait? Hier/Lundi, j'ai rangé ma chambre, j'ai fait mon lit. Tu as mis le couvert? Mon frère a fait les courses. Je n'ai pas fait mon lit.*

Et en grammaire … ?

✓ les verbes pronominaux	*se coucher: je me couche, tu te couches, il/elle/on se couche, ils/elles se couchent*
✓ les verbes pronominaux au négatif	*Je ne m'ennuie pas. Tu ne t'amuses pas? Ils ne se couchent pas tard.*
✓ les verbes au passé composé au négatif	*Hier, je n'ai pas fait mes devoirs. Tu n'as pas fait les courses? Ils n'ont pas fait les courses.*

En équipe

Tu es d'accord avec Nathalie ou avec Antoine? Qui a raison? Fais un sondage dans la classe.

1 Préparez un questionnaire. Écrivez 10 questions.

2 Interviewez vos camarades de classe.

> Non, la semaine dernière, je n'ai pas rangé ma chambre.

3 Présentez les résultats du sondage.

- garçons
- filles

cuisine   courses   voiture

Classe 8E2
Sondage: Qui a fait quoi à la maison?
Nous avons interviewé 20 personnes: 10 filles et 10 garçons.
La semaine dernière quatre filles ont fait la cuisine mais seulement trois garçons.
Sept garçons ont lavé la voiture mais seulement six filles.

Qui a fait quoi?

> À la maison, les filles font plus de travail que les garçons.

> Je ne suis pas d'accord!

La semaine dernière, tu as …

fait ton lit?

rangé ta chambre?

promené le chien?

lavé la voiture?

4 Résumez les résultats pour une interview à la radio. Enregistrez l'interview, si possible.

Équipe-Magazine

S.O.S.

Tu as un problème? Envoie ton courrier à Valérie. Elle t'aidera à trouver une solution.

Chère Valérie
J'ai treize ans et j'habite à Clermont-Ferrand. Mes parents sont très sévères. Le soir, je me couche à huit heures, même le week-end. Mon père dit que c'est une heure raisonnable. Tu es d'accord?

Sophie

Chère Sophie
Non, je ne suis pas d'accord. Tu te lèves à quelle heure le matin? Parle avec tes parents. Demande la permission de te coucher plus tard le week-end. Ton père peut consulter un professeur ou le père/la mère d'un(e) adolescent(e) de ton âge.

Valérie

Chère Valérie
Je partage une chambre avec mon grand frère. Il est perfectionniste et très impatient. Il n'aime pas le désordre. Moi, je n'aime pas ranger. Je ne fais pas mon lit le matin. Mon frère est furieux contre moi.

Manuel

Cher Manuel
Fais un effort. Dis à ton frère que tu vas faire ton lit tous les matins (cela n'est pas si difficile!), s'il est plus patient.

Valérie

Chère Valérie
J'ai un gros problème! J'habite un petit appartement avec ma mère et ma sœur. Ma mère est professeur et elle a beaucoup de travail au collège. Moi, je fais les courses, je fais le ménage, je prépare le dîner. Mais ma sœur est pénible. Elle n'aide pas à la maison.

Olivier

Cher Olivier
Avec ta mère et ta sœur, écris un planning avec tous les travaux ménagers. Partagez le travail. Par exemple: le mardi, tu fais les courses, ta sœur fait le ménage et ta mère fait la cuisine. Le mercredi, tu fais le ménage, ta mère fait les courses et ta sœur fait la cuisine, etc, etc.

Valérie

---

elle t'aidera – she will help you
ma sœur est pénible – my sister's a pain
partager – to share

5

La belle équipe

Épisode 5

Karima: Samedi, on fête mon anniversaire. Vous venez? Mes parents sont d'accord!
Martin: Moi, samedi, je ne peux pas.
Antoine: Qu'est-ce que tu as, Martin?
Nathalie: Tu es triste en ce moment, Martin, hein!

Lundi matin, au collège
Martin: Antoine et Karima sont heureux!
Nathalie: Oui! Samedi, on est allés chez Karima. Ses parents ont adoré Antoine, alors, elle est contente!
Karima: Tu n'es pas venu, Martin. Pourquoi?
Martin: Oh, euh ... c'était l'anniversaire de mon père. On est allés au restaurant.

Après les cours, chez Martin

Nathalie: Martin, qu'est-ce qui ne va pas?

Martin: Ma mère est partie. Elle habite à Nice maintenant. Je veux aller voir ma mère à Nice. C'est important pour moi.

Nathalie: Ton père est d'accord?

Martin: Non! Il dit qu'on n'a pas d'argent pour le train ... mais ce n'est pas vrai!

Martin, non! Tu es fou!

La seule solution: je pars en stop ce soir.

À suivre ...

1 Avant de lire l'épisode, relie les mots aux définitions.

a l'anniversaire 1 une ville dans le sud de la France
b Nice 2 très très content
c le stop 3 le jour de la date de naissance
d heureux 4 arrêter une voiture pour voyager

2a 🔊 Écoute et lis.

b Recopie et complète avec la bonne personne.
Exemple   1 – Karima

1 ...... a invité ses amis pour son anniversaire.
2 ...... ont adoré Antoine.
3 ...... n'est pas allé chez Karima.
4 ...... est allé au restaurant.
5 ...... est partie habiter à Nice.

3 Choisis le bon résumé.

A
Karima a invité ses amis pour son anniversaire. Antoine et Nathalie ont adoré les parents de Karima. Martin n'est pas allé chez Karima, il est allé à Nice, chez sa mère. Son père a donné de l'argent pour le train.

B
Nathalie et Antoine sont allés chez Karima pour son anniversaire. Les parents de Karima ont adoré Antoine. Martin n'est pas allé chez Karima. Il est très triste parce que sa mère est partie habiter à Nice. Il veut aller voir sa mère mais son père n'est pas d'accord. Martin veut partir en stop.

Bonne fête!

You will learn how to ...

✓ name special events and festivals: *Noël, le Nouvel An, Pâques, l'Aïd*

✓ ask and give dates: *C'est quand, ta fête? C'est le premier mars.*

✓ wish people Merry Christmas, Happy Birthday ... : *Joyeux Noël! Bon anniversaire!*

*Dans le calendrier français, chaque jour a un nom
de saint. Si tu t'appelles Kévin, ta fête, c'est le 3 juin.
Le jour de ta fête, on dit: «Bonne fête, Kévin!»*

JANVIER	FÉVRIER	MARS	AVRIL	MAI	JUIN
1 Jour de l'an	1 Ella	1 Cendres	1 Hugues	1 FETE DU TRAVAIL	1 Justin
2 Basile	2 Présentation	2 Charles le Bon	2 Sandrine	2 Boris	2 Blandine
3 Geneviève	3 Blaise	3 Guénolé	3 Richard	3 Jacques/Philippe	3 Kévin
4 Odilon	4 Véronique	4 Casimir	4 Isidore	4 Sylvain	4 PENTECOTE
5 Edouard	5 Agathe	5 Carême	5 Irène	5 Judith	5 Igor
6 Mélaine	6 Gaston	6 Colette	6 Marcellin	6 Prudence	6 Norbett
7 Raymond	7 Eugénie	7 Félicité	7 J.B. de la Salle	7 Gisèle	7 Gilbert
8 Epiphanie	8 Jacqueline	8 Jean de D	8 Julie	8 VICTOIRE 1945	8 Médard
9 Alix	9 Apolline	9 Françoise	9 Rameaux	9 Pacôme	9 Diane
10 Guillaume	10 Arnaud	10 Vivien	10 Fulbert	10 Solange	10 Landry
11 Paulin	11 N.-D. Lourdes	11 Rosine	11 Stanislas	11 Estelle	11 Barnabé
12 Tatiana	12 Félix	12 Justine	12 Jules	12 Achille	12 Guy
13 Yvette	13 Béatrice	13 Rodrigue	13 Ida	13 Rolande	13 Antoine de P.
14 Nina	14 Valentin	14 Mathilde	14 Maxime	14 Jeanne d'Arc	14 Elisée
15 Rémi	15 Claude	15 Louise	15 Paterne	15 Denise	15 Germaine
16 Marcel	16 Julienne	16 Bénédicte	16 PAQUES	16 Honoré	16 J.F. Regis
17 Roseline	17 Alexis	17 Patrice	17 Anicet	17 Pascal	17 Hervé
18 Prisca	18 Bernadette	18 Cyrille	18 Parfait	18 Eric	18 Fête-Dieu
19 Marius	19 Gabin	19 Joseph	19 Emma	19 Yves	19 Romuald
20 Sébastien	20 Aimée	20 Herbert	20 Odette	20 Bernardin	20 Silvère
21 Agnès	21 Pierre Damien	21 PRINTEMPS	21 Anselme	21 Constantin	21 ETE
22 Vincent	22 Isabelle	22 Léa	22 Alexandre	22 Emile	22 Alban
23 Barnard	23 Lazare	23 Victorien	23 Georges	23 Didier	23 Audrey
24 François de Sales	24 Modeste	24 Catherine Su.	24 Fidèle	24 Donatien	24 Jean-Baptiste
25 Conv. S Paul	25 Roméo	25 Annonciation	25 Marc	25 ASCENSION	25 Prosper
26 Paule	26 Nestor	26 Larissa	26 Alida	26 Bérenger	26 Anthelme
27 Angèle	27 Honorine	27 Habib	27 Zita	27 Augustin	27 Fernand
28 Thomas d'Aquin	28 Mardi-Gras	28 Gontran	28 Valérie	28 Fête des Mères	28 Irénée
29 Gildas		29 Gwladys	29 Catherine de Si.	29 Aymar	29 Pierre/Paul
30 Martine		30 Amédée	30 Jour du Souvenir	30 Ferdinand	30 Martial
31 Marcelle		31 Benjamin		31 Visitation	

1 📼 Écoute et regarde le calendrier.
C'est quel nom?
Exemple *1 – Benjamin.*

2 👥👤 Choisis un nom en secret.
Ton/Ta partenaire devine.

A *C'est quand, ta fête?*

B *C'est le 2 avril.*

A *Tu t'appelles Sandrine!*

Expressions-clés

Bon anniversaire!

Vive le roi! Vive la reine!

Poisson d'avril!

Bonne année!

Bonne fête, maman!

Aïd Mubarak!

Joyeuses Pâques!

Joyeux Noël!

Fêtes de famille

a 25 décembre

b mars/avril

c mai

d Aïd-el-Fitr, fin du Ramadan

g 6 janvier

e 1er janvier

f 1er avril

h

3a Quelles sont ces fêtes? Devine!
Exemple *a – C'est Noël.*

b 🔊 Écoute et vérifie.

c 🔊 Réécoute et regarde les expressions-clés, page 60. Qu'est-ce qu'on dit pour ces fêtes?
Exemple *a – Joyeux Noël!*

Ça se dit comme ça!

4a 🔊 Écoute et répète.
Exemple *Bon anniversaire!* la la la la la! *Bon anniversaire!*

b 👥 Entraîne-toi avec ton/ta partenaire.
Exemple

A: C'est le 1er janvier.
B: Bonne année!
   C'est la fête des mères.
A: Bonne fête, maman!

Mots-clés

Noël	l'Aïd-el-Fitr
le Nouvel An	le Premier avril
la fête des Rois*	la fête des mères
Pâques	un anniversaire

*Lis l'article page 69.

Encore!

Écris les fêtes en ordre d'importance pour toi.
Exemple *Mon anniversaire, Noël, l'anniversaire de mon frère, …*

En plus …

Fais ton calendrier personnel avec les dates importantes.
Exemple *Le 1er janvier, c'est le Nouvel An.*
Le 8 février, c'est l'anniversaire de ma mère, …

Ma fête préférée

You will learn how to …

✓ ask how you celebrate a special occasion: *C'est quoi, ta fête préférée? Comment est-ce que tu fêtes Noël/ton anniversaire?*

✓ describe your favourite celebration: *C'est mon anniversaire. Je fais une boum. Mes grands-parents viennent manger. Je vais au bal.*

1 Antoine

Ce jour-là, je mets mes beaux vêtements: un beau pantalon et une belle chemise. Mes grands-parents viennent manger à midi. J'ai beaucoup de cadeaux! On mange une grosse dinde et on boit du champagne. On joue avec mes nouveaux jeux de société. C'est sympa!

a **Anniversaire**

2 Nathalie

Ce jour-là, je vais au bal de rue avec des copains. Il y a de la bonne musique, on danse, c'est sympa! Vers dix heures et demie, on va voir le feu d'artifice. On mange des frites et de grosses gaufres. On boit du cidre ou du coca.

b **Noël**

d **14 juillet**

3 Martin

Ce jour-là, je fais une boum pour mes copains. J'ai des cadeaux: des CD ou des vidéos. On écoute un nouveau CD, on discute ou on regarde mes nouvelles vidéos. On mange un gros gâteau au chocolat et on boit des milk-shakes. J'adore ça!

c **Aïd**

4 Karima

Ce jour-là, la famille vient à la maison. D'abord, on mange de belles dattes et on boit du thé. Ma mère prépare un bon repas: une chorba, un couscous et beaucoup de bons petits gâteaux. J'ai aussi un cadeau: un peu d'argent.

1 🔊 Écoute et lis. Relie les photos aux textes.

Dictionnaire

2 📖 Trouve ces mots dans le dictionnaire. Fais trois listes.

beau/belle	venir	dinde
nouveau/nouvelle	bal	feu d'artifice
gaufre	boum	discuter
datte	repas	

Exemple

Nom (n)	Adjectif (adj)	Verbe (v)
une dinde	*beau/belle*	*venir*
(turkey)	*(beautiful)*	*(to come)*

Quand tu notes un mot, note si c'est un nom, un adjectif ou un verbe. C'est très utile pour faire des phrases!

ZOOM sur ... **les adjectifs**

3a *Il ou elle*, c'est qui?
Exemple   Il ou elle s'habille bien. C'est Antoine.

a Il ou elle aime les tenues habillées.
b Il ou elle va danser.
c Il ou elle a un peu d'argent.
d Il ou elle invite ses amis.

b Invente et écris d'autres *il ou elle* pour ton/ta partenaire.
Exemple   Il ou elle a des cadeaux avec ses grands-parents. [C'est Antoine.]

4 📼 Écoute l'interview de Sophie. Relie les questions et réponses dans les expressions-clés.
Exemple   1 – d

5a Relis les textes. Fais une liste d'expressions utiles.
Exemple   Je fais une boum, mes grands-parents viennent manger, …

b 👥 Pose les questions des expressions-clés à ton/ta partenaire. Réponds à ses questions.
Exemple

A: C'est quoi, ta fête préférée?
B: C'est mon anniversaire.
A: Comment est-ce que tu fêtes ton anniversaire?
B: Je fais une boum …

Attention aux adjectifs irréguliers!

6 Regarde pages 60–63. Recopie et complète le tableau pour les adjectifs suivants:
beau*, nouveau*, gros, bon.

		singulier	pluriel
masculin		beau*	beaux
		nouveau*	……
		gros	gros
		bon	……
féminin		belle	belles
		nouvelle	……
		……	……
		……	bonnes

* *bel/nouvel* (devant une voyelle!)

7 Choisis le bon adjectif.

a un *gros/grosse* œuf de Pâques

b le *Nouvel/Nouveau* An en France

c une *belle/beau* chemise

d une *gros/grosse* bouteille de champagne

142 ↪

▪ **Expressions-clés**

1 C'est quoi, ta fête préférée?
2 Comment est-ce que tu fêtes … ?
3 Qu'est-ce que tu manges?
4 Qu'est-ce que tu bois?
5 Est-ce que tu as des cadeaux?

a Je bois un peu de champagne et de la limonade.
b Je vais chez mes grands-parents.
c Oui, j'ai un gros œuf en chocolat.
d C'est Pâques.
e Je mange un bon repas, avec du poisson.

Un bon souvenir

Trois fêtes à travers le monde francophone

A

Étienne – Pointe-à-Pitre, en Guadeloupe:

«Cette année, Pâques, c'était le 30 mars. Le matin, je suis allé à la messe avec mes parents. À midi, j'ai pique-niqué à la plage. J'ai fait un concours de châteaux de sable!»

B

Savitri – Pondichéry, en Inde:

«Divali, c'est la fête de la lumière. Cette année, c'était le 7 novembre. Je suis allée au temple. Le soir, on a mis des bougies dans la maison. Ma famille est venue et on a mangé des chapatis et du curry. On a bu du lassi, une boisson au yaourt. Le soir, on est allés voir le feu d'artifice. C'était super!»

C

Odile – Binche, en Belgique:

«Le Carnaval, c'est le week-end avant Mardi Gras. Le dimanche, ma sœur et moi, nous avons mis un costume et un masque. Nous sommes allées dans les rues pour le défilé. Le lundi, nous avons fait une petite fête avec mes cousins. L'après-midi, nous avons jeté des oranges dans les rues. C'est la tradition! Le soir, nous sommes allés voir le feu d'artifice.»

1a 📼 Écoute et lis.

b 💻 Cherche seulement deux mots par liste dans le dictionnaire.

texte A: messe – pique-niquer – concours – sable
texte B: lumière – bougies – yaourt – curry
texte C: costume – masque – défilé – jeter

Dictionnaire

Ne cherche pas tous les mots dans le dictionnaire. Certains mots français ressemblent à l'anglais. Tu peux deviner!
Exemple *parents, pique-nique, ...*

2a Relie chaque fête à deux illustrations.
Exemple *1 – b, ...*

1 Pour Divali,
2 Pour Pâques,
3 Au Carnaval de Binche,

b Trouve la bonne phrase pour chaque illustration.
Exemple *a – J'ai fait un concours de châteaux de sable.*

ZOOM sur... *le passé composé*

3 Relis les textes. Recopie les verbes au passé composé.
Exemples
j'ai pique-niqué *on a mangé*

• Il y a aussi le passé composé avec *être.*
Exemples
je *suis allé*   ma famille *est venue*
nous *sommes allées*

4 Relis les textes. Tu peux trouver les autres exemples du passé composé avec *être?*

Attention! le participe passé s'accorde comme un adjectif:

Je suis allé

Je suis allée

On est allés

Nous sommes allées

Guide pratique

Travaille ta mémoire!

• Relis les trois textes. Essaie de te rappeler deux choses sur chaque fête.
• Apprends un des trois textes par cœur. Comment? Essaie:
– lis les phrases à haute voix
– fais un dessin par phrase
– mime chaque phrase.

5 Jeu de mémoire.

A *Cette année, Pâques, c'était le 30 mars.*

B *Cette année, Pâques, c'était le 30 mars. Le matin, je suis allé à la messe avec mes parents.*

Encore!

Choisis une des trois fêtes. De mémoire, écris/enregistre trois phrases sur cette fête.

En plus ...

Choisis ta fête préférée cette année.
Écris/Enregistre trois phrases.
Exemple *Pour Noël, je suis allé(e) ...*

147

Vive la fête!

You will learn how to …
✓ decide when to make the *liaison* with words that end in *-n*
✓ give and understand personal information (revision)

Refrain
Aujourd'hui, c'est la fête,
J'aime les fêtes, toutes les fêtes.
Aujourd'hui, c'est la fête,
Alors, vive la fête!

C'est le jour de Noël.
On a bu, on a mangé,
On a ri, on a chanté.
Moi, j'aime le jour de Noël!
«Joyeux Noël
Et bonnes fêtes de fin d'année.»
Refrain

C'est le jour du Nouvel An,
On a bien réveillonné,*
On est un peu fatigués.
Moi, j'adore le Nouvel An!
«Bonne année, bonne santé,
Fouille ta poche pour me donner!»
Refrain

C'est mon anniversaire.
Aujourd'hui, j'ai quatorze ans,
J'ai invité plein de gens,
Ça va être une boum super!
«Joyeux anniversaire,
Nos vœux les plus sincères …»

Refrain:
Aujourd'hui, c'est la fête,
J'aime les fêtes, toutes les fêtes,
Mais ma fête préférée,
C'est mon anniversaire!!!

---

* réveillonner: faire la fête le 24 et le
31 décembre

1 [cassette] Écoute la chanson. Choisis une carte pour chaque couplet.

a Bon anniversaire

b Joyeux Noël

c BONNE ANNÉE

2 Apprends la chanson et chante.

Ça se dit comme ça!

Les liaisons (le n)

Avant une voyelle, on prononce le *n*.

3 [cassette] Écoute et répète.
C'est ton cadeau?   Bon voyage!
C'est to<u>n a</u>mi?   Bo<u>n a</u>nniversaire!
  (n)   (n)
        O<u>n</u> chante!
        O<u>n a</u> chanté!
          (n)

4 [cassette] À toi! Écoute pour vérifier.
Bon appétit!
On a eu des cadeaux.
Il fête son anniversaire avec son ami Simon.

Gros plan sur Hugo à Dieppe

Guide pratique

Gros plan sur … est une page de révision.
Pour bien réviser:
– relis tes notes et ton vocabulaire
– relis les expressions-clés dans le livre (ici,
  unités 1–4)
– enregistre les expressions-clés sur une
  cassette et écoute souvent!
– écris sur des post-it et colle dans ta chambre
  ou aux WC!

5 🔲 Écoute et lis. Numérote les questions
dans l'ordre de la cassette.
Exemple   1 – c

a Qu'est-ce que tu mets pour aller au collège?
b Tu as des frères et sœurs?
c Tu t'appelles comment?
d Qu'est-ce que tu aimes manger?
e Qu'est-ce que tu aimes regarder à la télé?
f Ton film préféré, c'est quoi?
g Tu as quel âge?
h Ta fête préférée, c'est quoi?
i Où habites-tu?
j C'est quoi, ton look préféré?

6 🔲 Écoute et note les réponses d'Hugo.

7 Écris/Enregistre l'autobiographie d'Hugo.

Je m'appelle …… . J'ai …… ans. J'habite à …… .
J'ai …… sœur. Mon look préféré, c'est …… .
Pour aller au collège, je mets …… .

À la télé, j'aime regarder …… . Mon film
préféré, c'est …… . J'adore manger des …… .
Ma fête préférée, c'est …… .

Tu sais … ?

✓ parler des dates et des fêtes	*C'est quand, ta fête? C'est le 3 mars. C'est quoi, ta fête préférée? C'est Noël! Joyeux Noël!*
✓ décrire une fête	*Comment est-ce que tu fêtes … ? Je fais une boum, on va voir le feu d'artifice. Cette année, c'était super! Nous avons fait une fête. J'ai pique-niqué.*

Et en grammaire … ?

✓ les adjectifs irréguliers	*bon, gros, nouveau, beau*
✓ le passé composé avec *être*	*je suis allé(e), elle est venue*

⚇ *En équipe*

Préparez un calendrier des événements importants de l'année

1 Faites une liste de toutes les grandes fêtes. Écrivez les dates.
Exemple Pâques, c'est le … mars/avril.

2 Sondage: faites une liste de tous les anniversaires de la classe.
Question: *C'est quand, ton anniversaire?*
Réponse: *C'est le 21 mars.*

3 Chaque équipe prépare le calendrier pour un ou plusieurs mois.
a Ajoutez des bulles!

> *Joyeux Noël!*

b Pour chaque grande fête, répondez à ce questionnaire.

> Comment est-ce qu'on fête … ?
>
> Qu'est-ce qu'on mange?
>
> Qu'est-ce qu'on boit?
>
> Qu'est-ce qu'on met comme vêtements?

Exemple

> La fête du collège, c'est le 12 mai. On organise une grande fête. On joue de la musique, on fait du théâtre. On mange des hamburgers et des sandwichs. On boit du coca. On met des vêtements de sport.

Le calendrier illustré

mars

14	21
15	22 Anniversaire de Peter
16	*Bon anniversaire!*
17 **La Saint-Patrick**	23 Anniversaire de Claire
	24
	25 **La Fête des Mères**
	Bonne fête, Maman!
18	
19	26
20	27

> Pour la Saint-Patrick, on fait une bonne fête, avec de la musique et de la danse irlandaise. L'année dernière, on a regardé une vidéo de "Riverdance". C'était génial.

c Pour illustrer: trouvez des photos de l'année dernière, faites des dessins et écrivez des commentaires.
Exemple

L'année dernière, pour la fête des écoles, on a pique-niqué à la plage. On a mangé des sandwichs et on a bu du coca. Les profs sont venus avec nous, c'était sympa!

Maintenant, affichez vos calendriers au mur!

Équipe-Magazine

Charlie le chat

LA GALETTE DES ROIS

12 jours après Noël, c'est l'Épiphanie. En France, on mange la "galette des Rois", un gâteau rond et plat. Dans une des parts de la galette, il y a une fève*. Si tu as la fève, tu mets la couronne en papier et tu es roi ou reine pour un jour! On dit: «Vive le roi! Vive la reine!»
* fève: *charm*

LE RÉVEILLON

Le 24 décembre, c'est le réveillon de Noël; le 31 décembre, c'est le réveillon de la Saint-Sylvestre. En général, pour le réveillon, on mange tard. C'est un bon repas, avec des huîtres, du champagne et des plats sophistiqués!

La belle équipe

Voyages et vacances

Épisode 6

Martin est triste: sa mère est partie habiter à Nice. Martin veut aller à Nice en stop.

Nathalie: Martin, ne pars pas en stop. C'est trop dangereux. On va demander le prix du billet de train à la gare, d'accord?

Martin: On prend le bus pour aller à la gare?
Nathalie: Oui. Il y a un bus à quelle heure?
Martin: Maintenant!

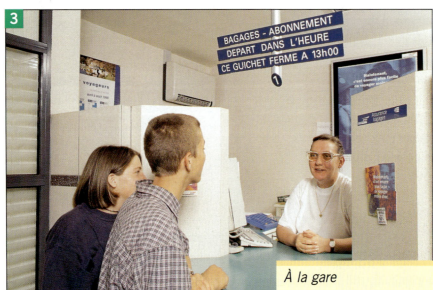

À la gare

Martin: C'est combien l'aller-retour pour Nice, s'il vous plaît?
Employée: C'est 1074 francs.
Martin: Tu vois Nathalie, je n'ai pas assez d'argent!
Nathalie: Eh! J'ai une idée! Fais un petit boulot pour gagner de l'argent!

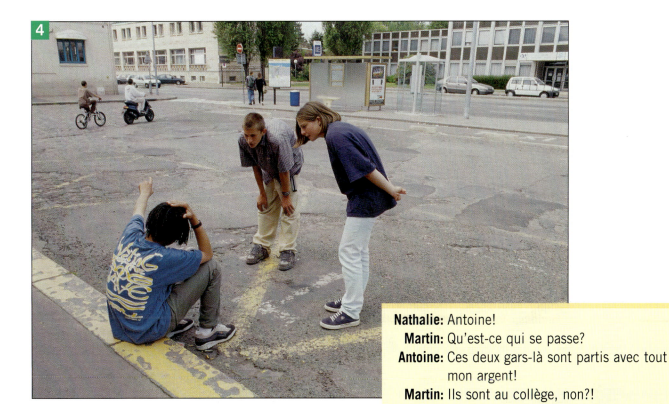

4

Nathalie: Antoine!

Martin: Qu'est-ce qui se passe?

Antoine: Ces deux gars-là sont partis avec tout mon argent!

Martin: Ils sont au collège, non?!

Antoine: Oui, ils font du racket … J'ai peur!

Nathalie: C'est vraiment horrible! Qu'est-ce qu'on peut faire?

À suivre …

1 Avant de lire l'épisode, choisis.

1 Martin veut aller voir sa mère à Nice
  a à vélo.
  b en stop.

2 Pour aller à Nice, Nathalie suggère à Martin de prendre
  a le train.
  b le bateau.

3 Pour un voyage en train Dieppe-Nice-Dieppe, on achète
  a un billet aller.
  b un billet aller-retour.

4 Le racket au collège, c'est
  a un sport.
  b quand on prend l'argent des autres.

5 Pour avoir de l'argent, Martin va
  a faire un petit boulot.
  b faire du racket au collège.

2a 🔊 Écoute et lis.

b Ça se dit comment en français?
  a Shall we take the bus?
  b What time is the bus?
  c How much is a return to Nice, please?
  d What's happening?
  e They are from school, aren't they?
  f What can we do?

3 Recopie et complète le résumé de l'épisode.

Martin veut aller à Nice en …… mais Nathalie pense que c'est trop …… .

Ils prennent …… pour aller à la …… . Ils demandent le prix d'un …… pour Nice. Nathalie suggère à Martin de faire …… pour avoir de l'argent pour le train. Près de la gare, deux racketteurs ont attaqué Antoine. Ils ont pris …… . Antoine a ……

Je prends le train

ANGLETERRE

LA MANCHE

FRANCE

Traverser la Manche

le train (l'Eurostar)

le bateau

l'avion

Le Shuttle

le car

l'aéroglisseur

1a On interroge 12 jeunes Français qui partent en Angleterre. Devine combien prennent le train, le bateau, etc.
Exemple train – 2, bateau – 3, …

b 🔊 Écoute pour vérifier.

Expressions-clés

Comment est-ce que tu vas en Angleterre/à l'école?
Je prends le train, le bateau, l'avion, le bus, etc.
Je vais à l'école à pied/vélo/mobylette
              en voiture/bus/car/métro

2 👥 Note en secret un moyen de transport pour traverser la Manche. Ton/Ta partenaire devine. Il/Elle a trois chances.
Exemple

A: Tu prends le bateau?
B: Non (je ne prends pas le bateau).
A: Tu prends le car?
B: Non (je ne prends pas le car).
A: Alors, tu prends l'avion?
B: Non! Perdu. Je prends le train!
    ou: Oui! Gagné. Je prends l'avion.

Comment est-ce que tu vas à l'école?

Je vais à l'école …

3 🔊 Recopie ce tableau. Écoute et complète.

car
voiture
bus
vélo
pied
mobylette

102

Guide pratique

Pour bien apprendre les mots nouveaux:
• fais des listes sur un thème: *les transports en commun,* etc.
• fais des listes de sept mots maximum
• mets les mots par ordre alphabétique
• fais des dessins:

un bus

un avion

• invente des rimes ou des mimes pour chaque mot!

4 👥 Fais un sondage dans ta classe.

Comment est-ce que tu vas à l'école?

Moi, je vais à l'école à pied.

Encore!

Écris les résultats du sondage dans un tableau.

En plus …

Écris un petit résumé des résultats.
Exemple *Dans ma classe, 12 élèves vont à l'école à pied, 5 en bus, …*

5 👥 Discute avec ton/ta partenaire.

A *Comment est-ce que tu vas à la piscine?*

B *En bus. Et toi?*

au club des jeunes
aux magasins
au cinéma
à la piscine
à l'école

Rappel

à la	+ *féminin*
à l'	+ *voyelle*
au	+ *masculin*
aux	+ *pluriel*

J'ai pris le bateau

1a 🔊 Écoute. Relie chaque fiche à la bonne personne.

b Recopie et complète les fiches.

a

Où?　　　*pays de Galles*
Départ?
Durée?　　*deux semaines*
Transport?

b

Où?　　　*Écosse*
Départ?
Durée?　　*un mois*
Transport?

c

Où?　　　*États-Unis*
Départ?
Durée?
Transport?

d

Où?　　　*Londres*
Départ?
Durée?
Transport?

2 👥 Dis une phrase, ton/ta partenaire devine qui tu es.
Exemple

A: Je suis allée à Londres.
B: C'est Karima!
A: Je suis partie le 15 août.
B: C'est Nathalie!

3 Relie les questions aux réponses dans les expressions-clés.

4 👥 **A** interviewe **B**. Adapte les expressions-clés. **B** parle de ses vacances ou invente des vacances.

A ⟨ *Tu es allé(e) où?* ⟩

B ⟨ *Je suis allé(e) au Canada.* ⟩

Expressions-clés

1 Tu es allé(e) où?
2 Tu es parti(e) quand?
3 Tu es resté(e) combien de temps?
4 Tu as voyagé comment?

a J'ai pris le bateau/le car …
b Je suis allé(e) à/au/aux/en …
c Je suis parti(e) le 20 juillet.
d Je suis resté(e) un week-end/dix jours/une semaine/un mois.

ZOOm sur... *le passé composé avec être*

Je *vais* en France   Je *suis allé(e)* en Italie.
Je *pars* le 20 juin.   Je *suis parti(e)* le 22 mai.

• Je + être + participe passé = *je suis allé(e)*

5 Trouve cinq exemples du passé composé avec *être* dans les pages 70–74.
Exemple *sa mère est partie*

• •

Rappel   être

je suis   nous sommes
tu es   vous êtes
il/elle/on est   ils/elles sont

• Pourquoi *être* avec certains verbes? En général, ce sont des verbes de *mouvement*.

Guide pratique

Comment apprendre ces verbes? Voici une chanson pour t'aider!

Aventure à Tahiti

Je suis parti(e) de Paris
Je suis arrivé(e) à Tahiti
Je suis entré(e), je suis sorti(e)
Je suis allé(e), je suis venu(e)
Je suis monté(e), je suis descendu(e)
Je suis tombé(e), aïe aïe aïe!
Je suis resté(e) deux jours au lit
Et je suis rentré(e) à Paris.

6a 📼 Écoute et chante.

b 📼 Apprends par cœur.

7 📖 Cherche les verbes dans le dictionnaire. Attention, trouve d'abord l'infinitif!
Exemple *venu – infinitif = venir: to come*

• Attention au participe passé! Il s'accorde comme un adjectif:
   *il est all**é**   elle est all**ée**   ils sont all**és**
   elles sont all**ées***

8 Recopie et complète la bulle de Charlie.

> Pendant les vacances, je suis all...... à la montagne avec Chantal. Nous sommes part...... le 2 février. On a fait du ski le premier jour. Chantal est mont...... , elle est descend...... sur les pistes, super! Moi, je suis tomb...... . Après, je suis all...... dans un chouette hôpital! Je suis rest...... là une semaine.

147

C'était vraiment sympa!

You will learn how to …

✓ ask what someone did during the holidays: *Qu'est-ce que tu as fait pendant les vacances?*

✓ describe a holiday in more detail: *D'abord, je suis resté(e) à la maison. Après, je suis allé(e) …*

✓ ask and say how it was: *C'était comment? C'était vraiment génial/nul.*

Emmanuelle, 14 ans
Je suis allée aux États-Unis avec mes parents. On est partis le 3 août. On a pris l'avion pour New York. D'abord, on est restés quatre jours à New York. C'était vraiment moche! Après, on est allés à Miami en voiture. On est restés une semaine. On a visité la région et on est allés à la plage. Là, c'était génial!

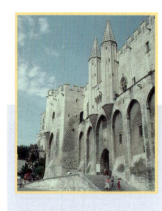

Élodie, 15 ans
Je suis allée dans un camp de vacances à Marseille. J'ai pris le car le 2 juillet. D'abord, on a fait des excursions, on a visité des châteaux et des musées. Ça, c'était vraiment super. Après, on a fait du sport et moi, je déteste ça! C'était vraiment nul!

1 Lis et trouve:
   a trois noms de villes
   b quatre moyens de transport
   c deux mois de l'année
   d quatre activités que tu aimes faire, quatre activités que tu n'aimes pas

2 📼 Écoute et note les questions.

3 👥 Écris des questions sur chaque texte (regarde les expressions-clés, page 74). Pose tes questions à ton/ta partenaire.
   Exemple Corentin est allé où?

4 👥 **A** choisit un rôle (Corentin, etc.). **B** interviewe **A** sur ses vacances. Regardez les expressions-clés pour vous aider.

A *Qu'est-ce que tu as fait pendant les vacances?*

B *Je suis allé(e) dans un camp de vacances …*

Corentin, 15 ans
Je suis resté à la maison. D'abord, j'ai regardé la télé. C'était vraiment nul! Après, j'ai retrouvé des copains. On a fait du vélo, on a joué au foot, on est allés au cinéma. Ça, c'était vraiment sympa!

Expressions-clés

- Qu'est-ce que tu as fait pendant les vacances?
  D'abord, …   Après, …
  Je suis allé(e)/resté(e) …   J'ai fait …

- C'était comment?

  😀 C'était (vraiment) sympa/super/génial!

  😠 C'était (vraiment) moche/nul!

5 En groupes de trois: chaque personne répond à la question 1 sur une feuille. Plie et passe. Réponds à la question 2 sur la feuille pliée. Plie et passe encore … À la fin, on déplie et on lit.

1 Tu es allé(e) où?
2 Tu es parti(e) quand?
3 Tu es resté(e) combien de temps?
4 Tu as voyagé comment?
5 Qu'est-ce que tu as fait?
6 C'était comment?

Je suis allé sur la Lune.

Je suis parti le 11 mai.

Je suis resté un week-end.

J'ai pris le bus.

J'ai fait de la plongée.

C'était vraiment génial!

Guide pratique

Pour donner une réponse détaillée:

1 – Écoute bien la question. Par exemple:
Qu'est-ce que tu as fait pendant les vacances?

2 – Pense à l'essentiel.
Je suis allé(e) chez mes grands-parents.

3 – Ajoute des détails.
*à Paris   le train   une semaine
visiter la ville   génial!*

4 – Fais des phrases.
Je suis allé(e) chez mes grands-parents à Paris. J'ai pris le train. Je suis resté(e) une semaine. J'ai visité la ville. C'était vraiment génial!

6 À deux, inventez des vacances!

A *On est allés en Écosse.*

B *On est allés en Écosse. On est partis le 2 août.*

A *On est allés en Écosse. On est partis le 2 août. On est restés deux semaines. …*

Encore!

Regarde les photos de tes vacances. Écris une carte postale.
Exemple *Je suis allé(e) dans un camp de vacances dans les Alpes …*

En plus …

Regarde les photos de tes vacances. Écris une lettre. Invente le plus possible de détails!
Exemple *Pendant les vacances, je suis allé(e) dans un camp de vacances dans les Alpes. C'était un petit village. …*

Un aller-retour, s'il vous plaît

À Dieppe, on peut prendre un ferry ou le catamaran Élite pour l'Angleterre.

TARIFS

P&O Stena LINE

Temps de traversée: 4h15

FERRY	A/R journée	A/R 3 jours	A/R 5 jours	Aller simple
Voiture + 1 pers.	265	690	990	990
Voiture + 2 pers.	290	740	1050	1050
1 piéton	100	100	100	100

Temps de traversée: 2h15

ELITE	A/R journée	A/R 3 jours	A/R 5 jours	Aller simple
Voiture + 1 pers.	525	950	1250	1250
Voiture + 2 pers.	550	1000	1310	1310
1 piéton	140	140	140	140

Spécial piétons

	139F	170F
Votre aller-retour	Journée	Jusqu'à 5 jours
Inclus: transport en train	*Dieppe – Londres – Dieppe*	*Départs quotidiens*

Horaires

Dieppe – Newhaven	
03:45	07:00
10:30	11:45
15:45	19:00
17:00	18:15
23:00	00:15

Newhaven – Dieppe	
06:30	09:45
08:45	14:00
13:00	16:15
19:00	22:15
20:45	02:00

1 📖 Lis la brochure et choisis la bonne définition.

1 journée
  a *journey*
  b *day*

2 temps
  a *weather*
  b *duration*

3 simple
  a *single*
  b *simple*

Dictionnaire

Attention aux faux amis!
Ils ressemblent aux mots anglais mais ils sont différents.
Pour choisir la bonne définition, fais bien attention au contexte!

2 📖 Relis la brochure et devine la définition de ces mots. Cherche dans le dictionnaire pour vérifier.
jusqu'à   inclus   départs   quotidiens
traversée   horaires

3 Réponds aux questions.
  a Il y a combien de traversées par jour?
  b Le prix spécial piétons, c'est pour le voyage en bateau et en … ?
  c C'est combien un aller-retour spécial piétons Dieppe–Londres (pour une journée)?
  d Il y a un ferry à quelle heure le matin?

4 👥 Prépare des questions pour ton/ta partenaire avec les expressions-clés. Il/Elle répond.
Exemple

A: Il y a un bateau à quelle heure le soir?
B: Il y a un bateau à 23 h 00.
  ou
A: C'est combien l'aller-retour pour une voiture et deux personnes pour trois jours?
B: C'est 740F.

Expressions-clés

Il y a un bateau à quelle heure le matin/
  l'après-midi/le soir?
C'est combien l'aller-retour
    l'aller simple
      pour un piéton
        pour une voiture et 2 personnes
          pour une journée?
          pour cinq jours?

Interlude

Voyage aux Antilles

Refrain
Je suis allée aux Antilles
Chapeau de paille et espadrilles
Je suis allée aux Antilles
Couleur café, parfum vanille.

Je suis partie en juillet
J'ai acheté mon billet
Un billet aller-retour
Je suis restée quinze jours.
Refrain

J'ai pris l'avion à Marseille
Ciel tout gris, pas de soleil
Je suis arrivée aux Antilles
Là, toujours le soleil brille.
Refrain

Je suis montée en montagne
J'ai campé à la campagne
J'ai mangé du choucoco*
J'ai dansé la calypso.*
Refrain

> * **le choucoco:** *heart of the coconut tree*
> **la calypso:** *West Indian dance or song*

5 🔊 Écoute la chanson. Mets les dessins dans l'ordre.
Exemple g, …

6 👥 **A** pose les questions des expressions-clés, page 74. **B** répond avec les mots de la chanson.

A Tu es allé(e) où?

B Je suis allé(e) aux Antilles.

Ça se dit comme ça!

7 🔊 Écoute et répète.
-ille *Antilles espadrille vanille brille*
-eil(le) *Marseille soleil*
-llet *juillet billet*
-agne *montagne campagne*

8 🔊 À toi! Écoute pour vérifier.
Un billet pour Rambouillet.
L'Espagne et l'Allemagne.
Camille, la fille de la famille, aime la vanille des Antilles.
Les abeilles sommeillent au soleil.

Tu sais … ?

✓ parler des moyens de transport	*Je prends le bus. Je vais à l'école à vélo.*
✓ décrire un voyage	*Je suis allé(e) en Angleterre. Je suis parti(e) le 2 juin. Je suis resté(e) trois jours. J'ai pris l'Eurostar. J'ai visité Londres et je suis allé(e) à Brighton. C'était vraiment génial.*
✓ parler des transports	*Il y a un ferry à quelle heure? C'est combien, l'aller-retour?*

Et en grammaire … ?

✓ Le passé composé avec *être*	*je suis allé(e), elle est venue*

En équipe

Jeu: Souvenirs de vacances

1 Travaillez en équipes. Chaque joueur prépare six cartes-souvenirs:
une carte-départ
une carte-destination
une carte-transport
une carte-activité
une carte-durée
une carte-opinion.

2 Préparez un tableau de jeu.

3 Jouez en deux équipes, A et B.
Exemple
A lance le dé. Si **A** tombe sur la case 3, **B** pose la question:

B (Tu es allé(e) où?)

A prend une carte-destination et dit:

A (Je suis allé(e) en Tunisie.)

Si la réponse est bonne, **A** garde la carte. **B** joue. Si la réponse est fausse, **A** remet la carte. **B** joue.

4 Quand votre équipe a six cartes (une de chaque sorte), racontez les vacances … sans faire de fautes!
Exemple On est allés en Tunisie. On est partis le …

Pour jouer, il faut:
deux équipes
un dé
des cartes-souvenirs.

Pour gagner, il faut:
avoir six cartes-souvenirs
et dire les souvenirs correctement.

Équipe-Magazine

Les vacances en Europe

Les Européens vont où?

La destination préférée des Européens, c'est la France! 92% des Luxembourgeois sont déjà montés sur la Tour Eiffel!

La destination préférée des Français (après la France!), c'est l'Espagne: 4 Français sur 10 vont en Espagne régulièrement.

Ils voyagent comment?

68% des Européens partent en vacances en voiture. Seulement 13% prennent l'avion (ce sont surtout des Britanniques) et 14% prennent le train. Alors, cela explique les bouchons*!

* un bouchon: traffic jam

Transport: des records français

Le premier avion est français, c'est Éole, de Clément Ader: il a volé sur 50 mètres, le 9 octobre 1890.

Le TGV français (train à grande vitesse) est le train de voyageurs le plus rapide du monde (515 kilomètres à l'heure).

Le Français Gérard d'Aboville a traversé l'Atlantique en solitaire dans une barque. Il est parti des États-Unis le 10 juillet 1980. Il est arrivé en France le 21 septembre 1980.

Révisions Unités 4, 5, 6

Regarde les sections "Tu sais ...?" pages 55, 67 et 79.

Profession: hôtesse d'accueil

1a Lis les notes du reporter. Mets les photos de Nicole dans l'ordre.

5 h 00 – Nicole se réveille, se lève, se lave, s'habille
5 h 30 – petit déjeuner
6 h 00 – travaille au bureau de l'information
12 h 00 – déjeune, se repose
14 h 30 – travaille à la cafétéria
18 h 30 – dîne, se repose
20 h 30 – travaille à la cafétéria
22 h 30 – se couche

1b Continue l'article!

REPORTAGE
Nicole est hôtesse sur un ferry entre la Bretagne et la Grande-Bretagne. Voici sa journée:
Nicole se réveille à 5 heures. Elle se lève et elle ...

2a 🔊 Lis les notes du reporter et écoute l'interview de Nicole. Corrige les trois erreurs du reporter.

est allée aux États-Unis et en Chine
est restée 15 ans aux États-Unis et 2 ans en Australie
elle a pris l'avion
elle préfère le bateau

2b 🔊 Réécoute. Recopie et complète le texte avec les mots de la boîte.
Nicole adore voyager: elle est ...... aux États-Unis et en Australie. Elle est ...... un ...... aux États-Unis et ...... ans en Australie. C'était ...... ! Elle a pris .... Elle aime bien ...... , mais son moyen de ...... préféré, c'est l'avion.

an	restée	l'avion super
le bateau	allée	transport deux

Vacances en roulotte

3 Voici le journal de Claire Tondini. Recopie et complète.

Exemple   Je suis [partir] partie de Nîmes …

Cet été, j'ai visité la Provence et la Corse en roulotte avec mes parents et mon frère Martial. Je suis [partir] ...... de Nîmes le 1er juillet. Je suis [aller] ...... à Avignon. C'était le festival de théâtre, super! Je suis [rester] ..... trois jours.

Après, je suis [aller] ...... à Nice. Là, j'ai pris le bateau pour la Corse. C'était super! Je suis [rester] ...... une semaine en Corse. Je suis [rentrer] ...... à Nîmes le 31 juillet.
Les vacances en roulotte, c'était génial!

4 Écoute. Recopie la grille et complète le planning des Tondini.

Planning: 13–19 juillet				
	Claire	**Martial**	**Mme Tondini**	**M. Tondini**
la cuisine				
la vaisselle				
les courses				
s'occuper du cheval				

5 Imagine! Tu as passé des vacances en roulotte dans ta région.
Écris une carte postale ou enregistre un message pour un copain/une copine.
(Tu peux adapter le texte de Claire!)

La belle équipe

Épisode 7

> Nathalie! Attends! Voilà cinquante francs pour Antoine! Les racketteurs ont pris tout son argent!

> Ah, oui. Merci!

Nathalie: Salut, Martin! Ça va, ton petit boulot?
Martin: Oui! J'ai gagné assez d'argent pour aller chez ma mère. Je pars en train ce week-end.
Nathalie: Super! À bientôt!

Plus tard, chez Nathalie.

Nathalie: Martin m'a donné cinquante francs pour Antoine.
Karima: Martin est sympa, hein? Moi, j'ai fait du baby-sitting hier soir. Voilà vingt francs.
Nathalie: On me donne soixante francs par semaine, mais j'ai seulement cinq francs pour Antoine.
Karima: Pourquoi? Qu'est-ce que tu as fait avec ton argent de poche?
Nathalie: J'ai acheté des magazines et du chewing-gum. Je suis allée au cinéma … J'ai seulement cinq francs pour Antoine.
Karima: Il faut faire quelque chose pour aider Antoine. Le racket comme ça, c'est atroce!

Budget loisirs

1 Avant de lire, regarde les photos. Réponds.
  a Martin travaille où?
  b Qu'est-ce que Martin donne à Nathalie?
  c Nathalie et Karima se retrouvent où?
  d Que fait Nathalie pendant la conversation avec Karima?

2 🔊 Lis et écoute. Regarde les photos. C'est à qui?
Exemple a – Nathalie

3 Relie les phrases.

  1 Pourquoi est-ce que Martin a un petit boulot?
  2 Pourquoi est-ce que Martin veut aller à Nice?
  3 Pourquoi est-ce qu'Antoine n'a plus d'argent?
  4 Pourquoi est-ce que Karima fait du baby-sitting?
  5 Pourquoi est-ce que Nathalie est triste?
  6 Pourquoi est-ce que Karima est contente à la fin de l'épisode?

  a Parce qu'il veut gagner de l'argent.
  b Parce qu'elle n'a pas beaucoup d'argent pour Antoine.
  c Parce qu'elle a une idée pour aider Antoine.
  d Parce qu'il veut voir sa mère.
  e Parce qu'elle veut gagner de l'argent de poche.
  f Parce qu'il a donné tout son argent aux racketteurs.

L'argent de poche

You will learn how to ...

✓ talk about pocket money: *J'ai vingt francs par semaine.*
✓ talk about what you spend your money on: *J'achète du chewing-gum et je vais au cinéma.*
✓ talk about what you save your money for: *Je mets de l'argent de côté pour acheter un ordinateur.*

J'ai soixante francs par semaine. Avec mon argent de poche, j'achète des magazines et du chewing-gum et je sors avec mes copains.

Je n'ai pas d'argent de poche, mais mes parents achètent mes vêtements et des choses pour le collège. Je fais du baby-sitting pour gagner de l'argent. J'achète des boissons et je vais au cinéma.

J'ai deux cents francs par mois. Normalement, j'achète des cassettes, je sors avec des copains et je mets de l'argent de côté pour acheter une nouvelle guitare.

Je n'ai pas d'argent de poche, mais j'ai un petit boulot au marché. Je mets de l'argent de côté pour faire un voyage à Nice.

1a 🔊 Lis et écoute.

b Ça se dit comment en français?
  a I buy magazines with my pocket money.
  b I get 60F per week.
  c I don't get pocket money.
  d I babysit to earn money.
  e I save some money.

2a 🔊 Écoute. Note les mots-clés.
Exemple 1 – magazines

b 👥 Fais des mini-conversations.

A *Qu'est-ce que tu fais avec ton argent?*

B *J'achète des magazines.*

Expressions-clés

Tu as combien d'argent de poche?
J'ai 60 francs/livres par semaine/mois.
Je n'ai pas d'argent de poche.

Qu'est-ce que tu fais avec ton argent?
J'achète des livres
        des cassettes
        des cadeaux
        du chewing-gum
        des magazines
        des boissons
        des vêtements
Je sors avec mes copains.
Je vais au cinéma.
Je mets de l'argent de côté.

3a Relie les illustrations aux expressions-clés.
Exemple *a – Je mets de l'argent de côté pour acheter un ordinateur.*

Expressions-clés

Tu mets de l'argent de côté?
Je mets de l'argent de côté pour acheter …

> des vêtements
> un ordinateur
> des baskets
> un vélo
> un blouson en jean
> une guitare
> une mobylette

5a 👥 Discute de ton argent de poche.
Exemple

A: Tu as combien d'argent?
B: J'ai dix livres par semaine.
A: Qu'est-ce que tu fais avec ton argent?
B: J'achète des magazines, je vais au club des jeunes et je sors avec mes copains.
A: Tu mets de l'argent de côté?
B: Oui, je mets de l'argent de côté pour acheter un walkman.

b Écris un texte. Compare avec ton/ta partenaire. Il/Elle a des idées comme toi?
Exemple *J'ai … par semaine … J'achète …
Je mets de l'argent de côté pour acheter …*

3b 📼 Écoute pour vérifier. Répète les expressions-clés.

> Je mets de l'argent de côté pour acheter un ordinateur.

4 📼 Recopie la grille. Écoute et complète.

Combien?	👜	🐷
50F par semaine	chewing-gum magazine	vélo

Dictionnaire

6 Cherche les mots nouveaux dans un dictionnaire. Fais une liste.

une boisson   drink
un boulot   job

- N'oublie pas de noter *un/une* avec un nom.
- Pour noter les verbes, écris l'infinitif et aussi le verbe dans une phrase:

sortir   to go out
je sors   I go out
(avec mes copains)   (with my friends)

Petits boulots

You will learn how to ...

✓ talk about the jobs you do to earn money: *Tu as un petit boulot? Je fais du baby-sitting. Je gagne vingt francs de l'heure.*

✓ give your opinion about the job: *Tu aimes bien? C'est fatigant, mais j'aime les enfants.*

✓ describe what you did to earn extra money: *J'ai travaillé pour mon père, et j'ai promené le chien de mon oncle.*

1 Relis la page 86. Qu'est-ce que Karima et Martin font pour gagner de l'argent?

2 📼 Relie les images aux expressions-clés en rouge. Écoute pour vérifier.
Exemple a – Je promène le chien.

Expressions-clés

Tu as un petit boulot?
> Je fais du baby-sitting.
> Je fais des courses.
> Je garde mon frère.
> Je fais le ménage.
> Je promène le chien.
> Je lave la voiture.

J'aime bien les enfants/les chiens
> être en plein air
> aider mes parents

C'est fatigant
> intéressant
> bien/mal payé

3 👥 Invente-toi un petit boulot.
Exemple

A: Tu as un petit boulot?
B: Oui, je lave la voiture.
A: Tu aimes bien?
B: Ça va. C'est fatigant, mais c'est bien payé.

4a Lis la lettre. Vrai ou faux?
  a Martin est content.
  b Martin travaille à Nice.
  c La mère de Martin rentre dans une semaine.
  d Martin travaille le week-end.
  e Martin gagne 30F de l'heure.

b Imagine la réponse de Jasmine.
  Exemple J'ai un petit boulot à Montréal. Je …
  Je gagne … J'aime bien, parce que …

Chère Jasmine,
Je suis triste parce que ma mère est partie habiter à Nice. Je ne sais pas quand elle rentre … Je voudrais passer une semaine chez ma mère, mais je dois gagner de l'argent pour acheter mon billet. J'ai trouvé un petit boulot au marché. Je travaille tous les samedis et je gagne trente francs de l'heure. J'aime bien parce que j'aime être en plein air et c'est bien payé.
Et toi? Tu as un petit boulot à Montréal?
Grosses bises,
          Martin

ZOOm sur... *le passé composé (révisions)*

Rappel 1

Nom/pronom + avoir + participe passé = le passé composé
Exemple J'ai travaillé chez moi.   Martin et Karima ont gagné de l'argent.

5 Antoine parle du week-end dernier. Fais des phrases. Change les infinitifs.
a Je + avoir + laver + la voiture.
b Je + avoir + promener + le chien de ma tante.
c Martin + avoir + travailler + au marché.
d Nathalie et Karima + avoir + préparer + un repas.
e Karima + avoir + faire + du baby-sitting.
f Tu + avoir + aider + tes parents?

147

6 Interviewe ton/ta partenaire. Qu'est-ce qu'il/elle a fait pour gagner de l'argent?

Qu'est-ce que tu as fait pour gagner de l'argent?

A

B *J'ai fait le ménage, j'ai fait du baby-sitting, et ...*

Rappel 2

Nom/pronom + être + participe passé (avec accord, si nécessaire) = le passé composé
Exemple Martin est allé au parc.

Nathalie est allée au parc.   Martin et Nathalie sont allés au parc.

Mes copains et moi, on est allés au parc.   Nathalie et Karima sont allées au parc.

7 Fais une liste des verbes avec *être* au passé composé. Pour t'aider, relis *Aventure à Tahiti* à la page 75. Trouve onze verbes. Compare ta liste avec un(e) partenaire.
Exemple partir, arriver ...

> ## Guide pratique
>
> Tu as des difficultés? Ne souffre pas en silence!
> * Travaille avec un(e) partenaire.
> * Regarde la section *Grammaire* pour des explications en anglais.
> * Demande à ton prof de te donner d'autres exercices!

8 Recopie et complète le journal de Martin. C'est *avoir* ou *être*? Vérifie avec un(e) partenaire.

Samedi matin, je .... (aller) au collège. Après les cours, j'...... ...... (travailler) au marché. Nathalie .... (venir) au marché et on .... (parler) des racketteurs. Samedi soir, je .... (rester) chez moi et j'...... ...... (regarder) la télévision.

147

Être millionnaire ou pas?

You will learn how to ...

✓ talk about your spending habits: *J'achète beaucoup de vêtements. Je mets 10F de côté.*

✓ talk about what you never or no longer do: *Je ne mets rien de côté. Je ne vais jamais au cinéma. Je n'ai plus d'argent.*

Jeu-test
Tu peux être millionnaire? Qu'est-ce que tu fais?

1 Tu gagnes 10 000 francs.

♥ J'achète beaucoup de vêtements, de livres, etc. Je mets 1000 francs de côté.

★ Je vais en vacances avec mes copains. Je ne mets rien de côté.

♦ Je mets 9000 francs de côté.

2 Ta copine fait une collecte pour la SPA (Société Protectrice des Animaux).

♦ Je ne donne jamais d'argent aux organisations charitables.

♥ Je n'ai pas d'argent, mais j'aide ma copine à faire la collecte.

★ Je donne tout mon argent de poche à ma copine.

3 C'est l'anniversaire de ta grand-mère.

★ J'achète une grande boîte de chocolats.

♥ Je n'achète rien, mais je dessine vite une carte.

♦ J'achète une petite boîte de chocolats.

4 Ton copain n'a plus d'argent pour aller au cinéma.

★ Je paie l'entrée pour mon copain.

♦ Je ne vais jamais au cinéma. Ça coûte trop cher!

♥ Je vais seul(e) au cinéma.

5 Tu préfères un petit boulot ... ?

♥ assez intéressant

★ très intéressant, mais mal payé

♦ pas intéressant, mais bien payé

Analyse

★ = 1 point   ♥ = 2 points   ♦ = 3 points

Entre 12–15 points
Tu peux être millionnaire, parce que tu ne dépenses pas beaucoup d'argent. Tu es riche, mais est-ce que tu es sympa?

Entre 6–11 points
Tu ne dépenses pas trop et tu es sympa. Si tu veux être millionnaire, tu dois mettre plus d'argent de côté.

Entre 1–5 points
Tu ne peux jamais être millionnaire, mais tu es très sympa. C'est peut-être mieux de mettre un peu d'argent de côté pour toi?

1 Fais ce jeu-test et lis l'analyse. C'est vrai pour toi?

2 Pose des questions à ton/ta partenaire.

A Tu gagnes 10 000 francs. Qu'est-ce que tu fais?

B Je vais en vacances. Je ne mets rien de côté.

Les petits boulots

Je fais du baby-sitting
Pour Isabelle ma cousine,
Je lave les trois voitures
Du voisin, Monsieur Arthur,
Je passe l'aspirateur
Dans la maison de ma sœur.
Je sors aussi tous les chiens
De mon grand-père Benjamin.

Ça y est, ça y est!
J'ai de l'argent de côté.
Ça y est, ça y est!
Je vais pouvoir m'amuser.

Je ne fais plus de baby-sitting,
Je vais faire du shopping.
Je ne lave plus toutes ces voitures,
Je vois des films d'aventure.
Je ne passe plus l'aspirateur,
J'achète des jeans Lee Cooper.
Je ne sors plus tous ces gros chiens,
Je fais tous les magasins!

Oh non, oh non!
J'ai déjà tout dépensé.
Oh non, oh non!
Je vais devoir retravailler!

Je fais du baby-sitting,
Pour Isabelle ma cousine, …

3 Écoute et chante.

Ça se dit comme ça!

Attention!
voyelle + s + voyelle = z   *musique*
                                  z

4a Trouve cinq exemples dans la chanson.
Écoute pour vérifier.
Exemple amuser

b Écoute et répète.

Guide pratique

Tu peux travailler seul(e) sur la prononciation.
Une bonne idée: enregistre et écoute ta prononciation.

musique … amuser …

Zoom sur… la négation

ne … rien   ne … plus   ne … jamais

5 Trouve des exemples de chaque expression dans le jeu-test et la chanson.
Exemple Je ne mets rien de côté.

6 Ça se dit comment en anglais?
a Je n'achète rien.
b Je ne fais plus de baby-sitting.
c Je ne vais jamais au cinéma.
d Je n'ai plus d'argent.
e Je ne mets rien de côté.
f Je ne dépense jamais mon argent.

149

La boum

1 📼 Lis et écoute.

> Samedi dernier, c'était l'anniversaire de Nathalie. On a organisé une super boum au club. La boum a été un grand succès, parce qu'on a tous organisé quelque chose. Génial!

2a 📼 Écoute Antoine, Nathalie, Karima et Martin. Qui a fait quoi pour la boum? Qui a fait le plus de travail?
Exemple Antoine – c, h, …

b Choisis une phrase pour chaque illustration.
Exemple   a – J'ai fait les invitations.

Expressions-clés

- J'ai fait les invitations.
- J'ai distribué les invitations.
- J'ai acheté à manger et à boire.
- J'ai préparé les pizzas.
- J'ai rangé les meubles.
- J'ai mis la table.
- J'ai choisi des cassettes.
- J'ai apporté un radiocassette.
- J'ai fait la vaisselle.
- J'ai nettoyé la salle après la boum.

Encore!

👥 Choisis une identité – Martin, Nathalie ou Karima.

A Qu'est-ce que tu as fait?

B J'ai choisi les cassettes et j'ai apporté un radiocassette.

A Tu es Antoine.

En plus ...

👥 Toi et ton/ta partenaire, vous avez organisé une boum. Qui a fait le plus de travail?

A Moi, j'ai acheté à manger.

B Moi, j'ai fait les invitations.

A Moi, j'ai …

3a 📼 Écoute. Qu'est-ce que Martin, Antoine et Karima ont choisi pour Nathalie?

b 📼 Réécoute. Pourquoi?
Exemple a – parce que Nathalie aime les tee-shirts.

4 👥 Tu as 100F. Tu dois acheter trois cadeaux.
Exemple

A: Qu'est-ce que tu as acheté?
B: J'ai acheté un tee-shirt pour Claire.
A: Pourquoi?
B: Parce qu'elle aime les vêtements.
A: C'est tout?
B: Non, j'ai acheté …

5a 📼 Écoute Éric et prends des notes. Compare avec ton/ta partenaire.
Exemple 7 h 30, chocolats, …

b Imagine que tu es allé(e) à la boum de Nathalie. Recopie et complète les phrases.

Je suis arrivé(e) à ……
J'ai acheté …… pour Nathalie, parce qu'elle ……
On a ……
Je suis rentré(e) chez moi à ……
Avant/Après la boum, j'ai ……
La boum était ……

Tu sais … ?

✓ parler de l'argent de poche	*Tu as combien d'argent de poche? Qu'est-ce que tu fais avec ton argent de poche? Tu mets de l'argent de côté?* *J'ai cinquante francs par semaine. J'achète des magazines et je vais au club des jeunes. Je mets dix francs de côté pour acheter des vêtements.*
✓ parler des petits boulots	*Tu as un petit boulot? Tu aimes bien?* *Je fais du baby-sitting. Je gagne vingt francs de l'heure. C'est fatigant, mais j'aime les enfants.*
✓ parler du week-end dernier	*J'ai lavé la voiture de mon oncle, j'ai acheté à manger, j'ai fait la vaisselle.*
✓ parler des cadeaux	*Qu'est-ce que tu as acheté? Pourquoi? J'ai acheté un tee-shirt pour Claire, parce qu'elle aime les vêtements.*

Et en grammaire … ?

✓ réviser le passé composé avec *avoir*	*J'ai fait les invitations, Nathalie et Karima ont préparé un repas.*
✓ réviser le passé composé avec *être*	*Je suis allé(e) au marché. On est partis à dix heures.*
✓ *ne … plus, ne … rien, ne … jamais*	*Je n'ai plus d'argent. Je n'achète rien. Je ne vais jamais au cinéma.*

1 Votre groupe veut gagner un peu d'argent. Faites une liste de petits boulots possibles.
Exemple *laver les voitures*

2 Préparez des petites annonces, sur l'ordinateur si possible.
Exemple

VOUS CHERCHEZ QUELQU'UN POUR LAVER LA VOITURE?

£3 LA VOITURE

TÉL: 01873 441032

WLF

3 Après un mois, vous avez gagné 200 livres. Super! Vous faites quoi avec l'argent? Décidez.
Exemple

4 billets de cinéma	= £20
Don à la R.S.P.C.A.	= £10
Boum – boissons et pizzas	= £60
Vêtements (£20 par personne)	= £80
On met de côté	= £30

4 Préparez un rapport sur votre projet.

Il y a quatre personnes dans notre groupe.

On a préparé des petites annonces pour trouver des petits boulots. Le week-end, on a tous lavé beaucoup de voitures. Christine a lavé trente voitures! C'était fatigant!

On a fait beaucoup de baby-sitting aussi. C'était bien payé, parce qu'on a gagné trois livres de l'heure.

On a promené deux chiens tous les week-ends. C'était mal payé, mais amusant!

Après un mois, on a gagné 200 livres! On est allés au cinéma. Le film était super! Jack est membre de la R.S.P.C.A. et on a donné 10 livres à cette organisation. On a tous acheté des vêtements et on a organisé une super boum pour les copains. Puis on a mis 30 livres de côté!

Équipe-Magazine

de toi à moi # Argent de poche

Presque tout le monde a de l'argent de poche.
Moi, non. Comment en demander à mes parents?
Mathilde (Paris, 75)

VOS RÉPONSES À MATHILDE

Échange

Au lieu de demander de l'argent de poche, aide au ménage. C'est ce que je fais. Ma mère m'a d'abord donné 5 francs et maintenant, je reçois entre 40 et 50 francs par mois.
Jessica (Ostwald, 67)

Petits boulots

Si tes parents ont des problèmes financiers, n'insiste pas. À 14 ans, tu peux aussi chercher des petits travaux à droite, à gauche.
François (Caen, 14)

COMMENT GAGNER DE L'ARGENT DE POCHE?
Les conseils de Benjamin

Voitures

Laver les voitures, c'est la spécialité de Benjamin. Il a même demandé à sa maman de lui acheter un "bleu de travail". Il gagne 10 F par lavage. Son papy lui donne 20 F.

un bleu de travail = workman's overalls

Courses

Le mercredi matin, Karine et Benjamin font le tour de leurs voisins pour leur demander s'ils ont des courses à faire. Il y a toujours quelqu'un qui a besoin de pain ou qui a oublié un litre de lait. Avec la monnaie, ils arrivent à gagner en moyenne entre 10 et 20 F d'argent de poche.

Croissants

Passe le vendredi soir chez les voisins que tu connais bien. Est-ce qu'ils veulent des croissants pour le samedi matin? Cela prend 5 minutes! Note le nom des clients et le nombre de croissants désirés. Benjamin demande qu'on le paie d'avance. Pour gagner un peu d'argent, il augmente le prix du croissant de 20 centimes. Gains: entre 20 et 30 F.

La belle équipe

Épisode 8

Nathalie et Karima sont allées chez Antoine.

Nathalie: Antoine, cet argent, c'est pour toi …

Antoine: Merci! Vous êtes gentilles.

Karima: Ça va, Antoine? Tu as révisé pour le contrôle d'anglais demain?

Antoine: Non, ça ne va pas. Le racket, ça me tracasse. Et puis, c'est difficile, l'anglais.

Nathalie: Moi, pour réviser, j'enregistre des cassettes.

Karima: Tu peux lire un magazine en anglais. J'ai un magazine qui est super … Tiens!

Antoine: Merci!

Karima: Et ne t'inquiète pas, Antoine. J'ai une idée. Il faut téléphoner à mon cousin Éric. Il faut aller dans une cabine téléphonique. J'ai acheté une télécarte ce matin.

Nathalie: Tu as son numéro de téléphone?

Karima: Oui, c'est le 02 35 32 04 49.

Nathalie: Ça sonne?

Karima: Oui … Allô? Est-ce que je peux parler à Éric?

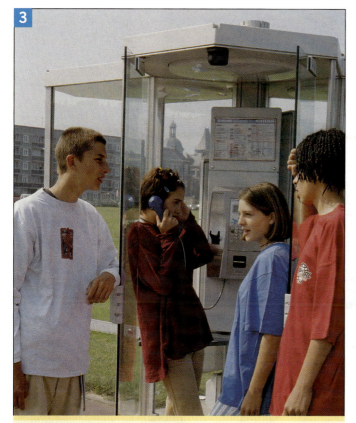

3

Antoine: Salut, Martin! Tu vas où?
Martin: Je vais à la gare … pour avoir les horaires des trains pour Nice.
Nathalie: La gare? Mais il faut consulter le Minitel, c'est plus facile.
Antoine: Oui, venez chez moi.

1a Avant de lire l'épisode, devine.
  1 Pour Antoine, l'anglais est
    a difficile.
    b facile.

  2 Karima a une idée pour aider Antoine.
    a Elle téléphone à sa grand-mère.
    b Elle téléphone à son cousin.

  3 Martin va à la gare
    a pour avoir les horaires des trains.
    b pour acheter un billet.

  4 Ils cherchent l'heure des trains pour Nice
    a dans une brochure.
    b sur Minitel.

b 📼 Lis et écoute pour vérifier.

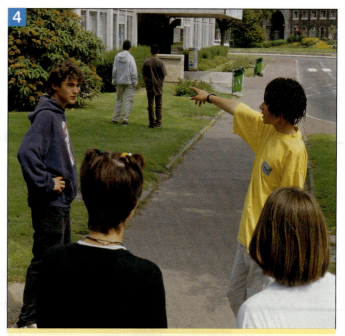

4

C'est samedi. Éric est arrivé.
  Éric: Je déteste les racketteurs! C'est qui?
  Antoine: Les gars qui sont là-bas.
  Éric: OK! Pas de problème.

À suivre …

2 Trouve dans le texte l'expression qui veut dire:
  a You can read an English magazine.
  b I record cassettes to revise.
  c We'll have to go to a phone box.
  d You should look it up on Minitel, it's easier.
  e The boys who are over there.

3 Remets dans l'ordre pour résumer l'histoire.
  Exemple 1 – d

  a Karima a une idée. Elle va téléphoner à son cousin.
  b Ils retrouvent Martin qui va à la gare.
  c Ils vont dans une cabine téléphonique pour téléphoner.
  d Karima et Nathalie vont voir Antoine.
  e Martin consulte le Minitel pour avoir les horaires des trains.
  f Antoine ne peut pas réviser.
  g Éric va parler aux racketteurs.

Pour apprendre le français

You will learn how to …

✓ talk about different ways of learning a language: *Pour apprendre le français, on peut regarder des cassettes vidéo. On peut utiliser un dictionnaire.*

1a Trouve une expression-clé (page 99) pour chaque photo.
Exemple 1 – a

b 🔊 Écoute pour vérifier.

2 🔊 Qu'est-ce qu'on peut faire pour apprendre une langue étrangère?
Note les réponses (*a–i*, page 99) de Martin, Karima, Antoine, Nathalie, Kalim et Pascale.
Exemple Martin – i, c, …

3 Relie pour inventer d'autres suggestions.

a On peut parler   1 des films français
b On peut réviser   à la télé.
c On peut regarder   2 la grammaire.
d On peut imiter   3 en classe.
e On peut apprendre 4 la prononciation.
f On peut faire   5 ses devoirs
                       régulièrement.
                    6 le vocabulaire.

4a Quelle suggestion est plus importante, *a* ou *b*? Décide.

a écouter la radio   b lire un magazine
                          français
a utiliser un ordinateur b utiliser un
                          dictionnaire
a lire le manuel   b écouter des
                          cassettes
a regarder des cassettes b bien travailler en
    vidéo françaises   classe

b Discute avec un(e) partenaire pour mettre les conseils des expressions-clés par ordre d'importance. (1 = le plus important)
Exemple

A: *On peut utiliser un dictionnaire*, c'est très important.
B: Mais non, *on peut bien travailler en classe*, c'est plus important.
A: D'accord. Le numéro un, c'est *on peut bien travailler en classe*. Et après …

■■■■■■■■■■■■■■■■■■■■■

Expressions-clés

Pour apprendre le français, on peut
   a écouter la radio
   b lire un magazine français
   c écrire à un(e) correspondant(e)
   d regarder des cassettes vidéo françaises
   e lire le manuel
   f écouter des cassettes
   g utiliser un ordinateur
   h utiliser un dictionnaire
   i bien travailler en classe

C'est grand.

C'est *plus* grand.

C'est *le plus* grand.

Encore!

Écris la liste des suggestions (activité 3).

En plus …

Écris des suggestions pour s'amuser le week-end.
Exemple *On peut aller voir un film au cinéma. On peut aller à la piscine.*

Ça se dit comme ça!

eu/eur

5 Écoute et répète. Prononce bien.
deux   un feu   un jeu   bleu
On veut inventer un jeu.
Il peut si tu veux.

6 Écoute et répète. Prononce bien.
une fleur   un ordinateur   ma sœur
une heure
J'ai peur des racketteurs.
Ma sœur est actrice et mon frère est acteur.

Au téléphone

You will learn how to ...

✓ understand and give telephone numbers: *C'est quoi, le numéro de téléphone de l'hôpital?* *C'est le 02 23 45 67 89*

✓ start a telephone conversation: *Allô? C'est Albert? Est-ce que je peux parler à Claire?*

> C'est quoi, le numéro de téléphone?

> C'est le 04 56 77 03 25.

1 🔊 Lis et écoute la bande dessinée. Qui répond: Fabienne ou Jordane?

2a 🔊 Écoute. Recopie et complète les numéros de téléphone.

Nathalie	Antoine	Perrine
02 ?? 24 67 39	02 35 40 ?? 77	03 21 95 ?? 80
Martin	Karima	Jamel
02 35 ?? 51 62	02 35 11 98 ??	04 ?? 84 73 09

> Allô, Fabienne?

> Non, c'est Jordane.

2b 🔊 Écoute et complète les réponses.

Mini-Infos

Pour les numéros de téléphone, la France est divisée en cinq zones. Les deux premiers chiffres d'un numéro de téléphone dépendent de la zone. Par exemple, à Paris, tous les numéros commencent par 01.

À Dieppe, à Nantes ou à Rouen, les numéros commencent par 02.

> Est-ce que je peux parler à Fabienne, s'il te plaît?

> Oui, attends. Ne quitte pas.

3a **A** demande un numéro. **B** lit le bon numéro.

Exemple

A: C'est quoi, le numéro de téléphone du commissariat de police?

B: C'est le 02 35 84 87 32.

b **A** lit un numéro de téléphone. **B** note le numéro (livre fermé!). Ensuite, changez de rôles.

A (L'hôpital, c'est le 02 35 06 76 76.)

Encore!

Quel numéro pour les situations suivantes?

a **b** **c**

En plus …

Quel numéro pour les situations suivantes?

a Je dois aller à la gare. Le train est à midi. La voiture ne marche pas. Je vais appeler un taxi.

b Je vais organiser un barbecue ce week-end. Mais est-ce qu'il va faire beau?

c Je vais passer des vacances à Dieppe en juillet. Je voudrais une liste des campings.

d Le cinéma Jean Renoir est fermé. Il y a un bon film dans l'autre cinéma?

4a Réécoute la bande dessinée, page 100.

b Avec un(e) partenaire, lis la bande dessinée.

c Change le dialogue. Utilise les noms et les numéros de l'activité 2.

Expressions-clés

C'est quoi, le numéro de téléphone (de l'hôpital)?
C'est le (02 35 67 89 08).
Allô. C'est (Martin)? C'est (Nathalie).
Est-ce que je peux parler à (Antoine), s'il te plaît?

Dieppe – Numéros utiles

Cinéma Rex	02 35 84 22 74
Commissariat de police	02 35 84 87 32
Électricité de France	02 35 84 96 83
Gaz de France	02 35 84 96 85
Hôpital	02 35 06 76 76
Météo régionale	02 35 65 12 34
Office de Tourisme	02 35 84 11 77
Pompiers	02 35 84 33 00
SNCF gare principale	02 35 06 69 33
Taxis	02 35 84 20 05

Interlude

C'est le téléphone qui sonne

Refrain
Zéro un, vingt-deux,
Quarante-quatre, trente-trois,
Quatre-vingt-dix-neuf …
C'est le téléphone qui sonne.

Allô, allô, c'est toi, Léo?
Ah non, ici c'est Mario!
Vous n'êtes pas au bon numéro.
Refrain

Allô, allô, c'est toi, Papa?
Attends un peu, ne quitte pas …
Ah non, ton père, il n'est pas là.
Refrain

Allô, allô, c'est toi, Albert?
Est-ce que je peux parler à Claire?
Ou à ma mère ou à mon frère?
Refrain

5 Écoute et chante.

L'informatique

le lecteur de CD-Rom

l'écran (ou le moniteur)

l'imprimante

le modem

le lecteur de disquettes

la disquette

le clavier

la souris

1a C'est quelle partie de l'ordinateur?

1, c'est pour taper les documents.

On regarde **2** pour travailler sur un document.

3, c'est un appareil qui relie l'ordinateur au téléphone.

4, c'est pour changer la position du curseur sur l'écran.

5, c'est pour lire les CD-Rom.

6, c'est pour contenir des informations électroniques sous forme portable.

7, c'est un appareil qui imprime les documents.

8, c'est un appareil qui lit les disquettes.

b 📼 Écoute Nathalie pour vérifier.

2 👥 **B** ferme le livre.

A *C'est pour lire les CD-Rom.*

B *C'est le lecteur de CD-Rom.*

ZOOM sur ... qui

3 Lis les définitions, activité 1a. Trouve les phrases avec le pronom *qui*.

Le pronom *qui* relie deux phrases. La deuxième phrase est une description.
Exemple L'imprimante est un appareil. + L'imprimante imprime les documents. = *L'imprimante est un appareil **qui** imprime les documents.*

4 Relie ces phrases avec *qui*.

a C'est la disquette.
   La disquette est sur la table.

b Il y a deux professeurs.
   Les professeurs enseignent l'informatique.

c J'ai un ordinateur.
   Mon ordinateur a un lecteur de CD-Rom.

150

5a Écoute les interviews. Ils aiment l'informatique?

b Réécoute. Ils utilisent un ordinateur où? Pour quoi faire? Prends des notes.
Exemple   1 – gare/faire des réservations

c Sondage. Pose les questions: tu utilises un ordinateur? où? pour quoi faire?

■■■■■■■■■■■■■■■■■■■■■■
Expressions-clés

J'utilise un ordinateur pour …
faire mes devoirs
jouer aux jeux électroniques
écrire des lettres
surfer sur Internet

ZOOm sur … il faut

Lis l'article *Le courrier électronique*.

6 Trouve six exemples de *il faut* dans l'article.
Exemple   1 – il faut être connecté, 2 – Il faut avoir …

7 *Il faut* être connecté à Internet, ça veut dire:
a c'est idiot.
b c'est dangereux.
c c'est nécessaire.

149 **8** Après *il faut*, c'est quelle partie du verbe?

Dictionnaire

Un mot nouveau … le dictionnaire est essentiel? Non, pas toujours!
• Le contexte ou les mots voisins peuvent aider à comprendre le sens.

9 Lis *Le courrier électronique* encore une fois. Qu'est-ce que ça veut dire?
a *communiquer* par E-mail
b *À vos marques, prêts, partez!*
c Il faut *appuyer* sur un bouton.

Guide pratique

Savoir écouter
Il n'est pas toujours nécessaire de comprendre tous les mots. Pour l'activité 5, par exemple:
• Avant d'écouter, pense aux expressions positives (*j'aime, génial*), et négatives (*je déteste, idiot*). Tu entends ces mots?
• Écoute *la voix* de la personne qui parle. Elle a une attitude positive ou négative?

Le courrier électronique

C'est le courrier électronique qui a fait le succès d'Internet. Avec le courrier électronique (ou E-mail), on peut envoyer des messages d'ordinateur à ordinateur.

Tu veux communiquer par E-mail?
D'abord …
• Il faut être connecté à Internet.
• Il faut avoir une adresse E-mail.
• Pour communiquer avec quelqu'un, il faut connaître son adresse E-mail.

À vos marques, prêts, partez!
• Il faut taper l'adresse de votre correspondant.
• Ensuite, il faut taper un message.
• Pour terminer, il faut appuyer sur un bouton.
Voilà! Le message arrive à sa destination en quelques secondes.

On écrit des lettres

You will learn how to …

✓ write a letter to a French friend: *Cher/Chère … Réponds-moi vite. Amitiés./Grosses bises.*

✓ write a more formal letter: *Monsieur/Madame, … Veuillez agréer, Monsieur, l'expression de mes sentiments respectueux.*

A

Oxford, le 26 mai

Monsieur

Je vais passer <u>un week-end</u> à <u>Dieppe</u> au mois de <u>juillet</u> avec <u>mes parents</u>. Pouvez-vous, si possible, m'envoyer une liste des hôtels et des attractions à <u>Dieppe</u>?

Veuillez agréer, Monsieur, l'expression de mes sentiments respectueux,

Anne Davenport

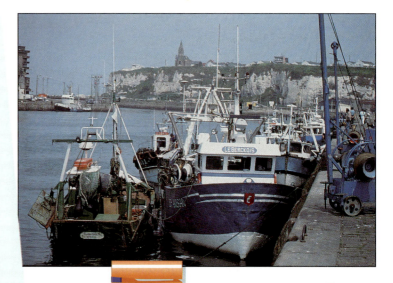

B

Annecy, le 31 janvier

Chère Caroline

Merci pour ta lettre. Je vais répondre à tes questions. <u>Annecy</u> est dans <u>l'est de la France</u>, près de <u>la Suisse</u>. Nous avons <u>une petite maison</u>. Au rez-de-chaussée, il y a <u>une cuisine</u> et <u>un salon</u>. Au premier étage, il y a <u>trois</u> chambres et <u>une salle de bains</u>. Nous avons <u>un jardin</u> derrière la maison. Mes passe-temps préférés sont <u>la natation</u> et <u>le cinéma</u>. J'aime aussi <u>la lecture</u>. Ce week-end, j'ai fait de la planche à voile sur le lac avec <u>ma copine</u> et <u>nous avons fait une promenade à vélo</u>. Qu'est-ce que tu as fait ce week-end?

Réponds-moi vite.

Amitiés

Sophie

Guide pratique

Écrire une lettre …

	à un(e) ami(e)	**plus officielle**
Pour commencer	Cher Marc *ou* Chère Marie	Monsieur *ou* Madame
Au milieu	tu	vous
Pour terminer	Amitiés *ou* Grosses bises	Veuillez agréer l'expression de mes sentiments respectueux

Mini-Infos

En France, les boîtes aux lettres sont jaunes.

1 Lis les lettres A et B. Laquelle est une lettre
a à un(e) ami(e)?
b officielle?

2 Tu vas passer quatre jours à Paris en avril avec ta famille ou des amis. Écris une lettre à l'Office de Tourisme. Adapte la lettre A: change les expressions soulignées.

3 Écris une lettre à un(e) correspondant(e) français(e). Adapte la lettre B: change les expressions soulignées.

Tu sais … ?

✓	parler des différents moyens pour apprendre une langue	*Pour apprendre le français, on peut regarder des cassettes vidéo. On peut utiliser un dictionnaire.*
✓	demander et donner un numéro de téléphone	*C'est quoi, ton numéro de téléphone? C'est le 02 23 45 67 89.*
✓	parler au téléphone	*Allô? C'est Albert? Est-ce que je peux parler à Claire?*
✓	décrire un ordinateur	*L'imprimante est un appareil qui imprime les documents.*
✓	dire où et pourquoi tu utilises un ordinateur	*J'utilise un ordinateur pour faire mes devoirs/pour jouer aux jeux électroniques.*
✓	comprendre les instructions pour utiliser le courrier électronique	*Il faut être connecté à Internet. Il faut taper un message.*
✓	écrire une lettre à un(e) ami(e)	*Cher/Chère … Réponds-moi vite. Amitiés./Grosses bises.*
✓	écrire une lettre plus officielle	*Monsieur/Madame, … Veuillez agréer, Monsieur, l'expression de mes sentiments respectueux.*

Et en grammaire … ?

✓	*pour* + infinitif	*On regarde l'écran pour travailler sur un document.*
✓	*il faut* + infinitif	*Il faut être connecté à Internet.*
✓	le pronom *qui*	*C'est un appareil qui lit les disquettes.*
✓	*plus* devant un adjectif pour comparer	*C'est plus pratique/important.*

En équipe

Guide du bon linguiste
Relisez les pages 98–99.

Pour être fort en français,
qu'est-ce qu'il faut faire?

1 Chaque personne fait une illustration pour
une des suggestions, page 99.

Une personne écrit la liste des suggestions.

Sur un grand poster, collez la liste avec les
illustrations autour. Collez le poster au mur.

Comme ça, vous n'allez pas oublier les
suggestions!

2 Organisez un sondage.
- Notez 10 suggestions (voir pages 98–99, ou
inventez des suggestions).
  Exemple
  il faut écouter la radio
  il faut faire ses devoirs régulièrement
  il faut bien travailler en classe
  il faut bien imiter la prononciation

- Faites des colonnes: très important/assez
important/pas très utile.
- Interviewez vos camarades. Notez leurs
réactions.

on peut écouter la radio
on peut lire des magazines

3 Présentez les résultats du sondage.
- Dessinez un graphique. Utilisez
l'ordinateur, si possible.

très important
assez important
pas très utile

dictionnaire   devoirs   radio

- Écrivez un article pour le magazine du
collège.
  Exemple *Pour être fort en français, il faut
  réviser régulièrement le vocabulaire et
  faire régulièrement les devoirs. À la
  maison, on peut… Au collège, on peut …*

- Enregistrez un reportage ou une interview.

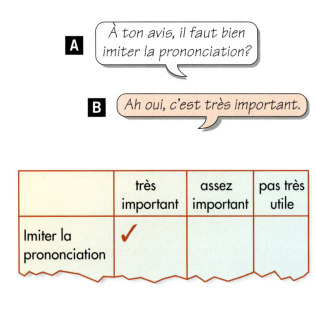

A À ton avis, il faut bien imiter la prononciation?

B Ah oui, c'est très important.

	très important	assez important	pas très utile
Imiter la prononciation	✓		

A Quels sont les résultats du sondage? Écouter la radio, par exemple, c'est important?

B Euh oui, écouter la radio, c'est important. Mais regarder les films français à la télé, c'est plus important.

A Et c'est plus amusant!

Équipe-Magazine

Petit guide des émoticônes

Sur Internet, il y a des symboles pour indiquer les émotions des utilisateurs.

Pour lire les émoticônes (= émotions + icône), il faut pencher la tête vers la gauche.

Qu'est-ce que ça veut dire? Devine (ensuite, suis les lignes pour vérifier).

:-)	surprise
:-(	très triste
:-<	je t'embrasse
:->	content
{}	je pleure
?:-)	triste
:,-(	très content

Fleurs à protéger

Gentiane jaune

Office de Tourisme
Pont Jéhan-Ango
Quai du Carénage
BP 152
76202 - Dieppe Cedex

N'oublie pas le code postal! En France, le code postal a cinq chiffres. Les deux premiers chiffres sont le numéro du département (ici, 76).

Tout connaître sur Dieppe et sa Région par Minitel

Le Minitel, qu'est-ce que c'est?

Le Minitel est un service de communication par ordinateur et téléphone. On peut communiquer ou recevoir des informations.

- Tu as oublié le numéro de téléphone de ton copain? Consulte le Minitel. Il y a un annuaire téléphonique.

- Tu veux avoir les horaires des trains? Consulte le Minitel. Il y a tous les renseignements et on peut faire des réservations.

Vous avez l'Internet au collège? Contactez une des adresses suivantes:
http://www.oup.co.uk/equipe/
http://www.cyberhouse.fr/enfants.html
http://www.cplus.fr
http://www.mairie-dieppe.fr
http://www.cite-sciences.fr/

La belle équipe

Dernier épisode

Éric parle aux deux garçons.

Éric: Alors, vous rackettez Antoine?
Je déteste le racket, moi. Je vais parler
au directeur du collège. Si vous
recommencez, je vous retrouve …
Alors là, attention!

Antoine: Ils ont peur … ils partent!

Martin: Nathalie? C'est Martin. Ça va? Et
Antoine?

Nathalie: Ça va. Éric a fait peur aux racketteurs!
Éric est grand et fort. Il est brun, avec
les cheveux courts et frisés … et de
beaux yeux marron …

Martin: Mais tu es amoureuse ou quoi?! Bon,
j'arrive à Dieppe en train dimanche soir,
à 18 h 30. À bientôt!

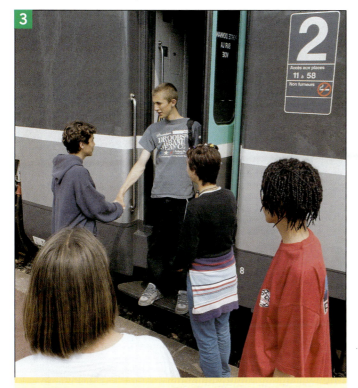

3

Antoine: Salut, Martin! Tu as fait bon voyage?
Martin: Oui, c'était super de voir ma mère!
Karima: Martin, voici Éric!
Martin: Euh … Salut!
Nathalie: On va boire un café?
Tous: Oui, bonne idée!

4

C'est super, les copains!

Quelle équipe!

Fin

1a Avant de lire l'épisode, devine.
   1 Éric dit aux racketteurs qu'il va
      a parler au directeur du collège.
      b parler à la police.

   2 Qui a peur?
      a Éric a peur des racketteurs.
      b Les racketteurs ont peur d'Éric.

   3 Nathalie
      a aime bien Éric.
      b déteste Éric.

   4 Martin
      a reste à Nice chez sa mère.
      b arrive à Dieppe en train, dimanche soir.

b 📼 Écoute et lis pour vérifier.

2 Trouve les expressions françaises pour:
   a So watch out!
   b See you later!
   c Did you have a good trip?
   d This is Eric.
   e Hi!
   f What a gang!

3 Recopie et complète les phrases pour résumer l'épisode.

Éric parle aux .... Il dit qu'il va parler au ....
Les racketteurs ont .... Antoine est content.
Martin téléphone à Nathalie. Nathalie explique
qu'Éric ...... , Martin pense que Nathalie est ....
Il dit qu'il arrive .... Les copains vont chercher
Martin .... Martin a fait .... Après, ils vont
tous ....

Je me présente

You will learn how to ...

✓ describe yourself: *Je suis grand(e) et assez mince, blond(e) avec les cheveux courts. J'ai les yeux bleus. J'ai des lunettes.*

✓ give details of your arrival: *J'arrive à Dieppe le 12 juillet à 18 heures.*

Qui est Lothaire?

a

b

c

1 📼 Écoute le message de Lothaire à Martin. Qui est Lothaire, *a, b* ou *c*?

2 Recopie et complète la bulle de Lothaire.

> *Je m'appelle Lothaire Dubois. Je suis un copain de Jasmine. Je suis québécois, j' habite à Montréal. J'ai 14 ans. En juillet, je vais en vacances à Dieppe, chez Martin. Je suis ......*

3 📼 Écoute et regarde les photos. Qui est Marc, qui est François?

4 Recopie et complète la bulle de Marc et François.

> *Je m'appelle Marc. Je suis le correspondant d'Antoine. Je suis belge, j'habite à Bruxelles. J'ai 15 ans. Je suis ......*

> *Je m'appelle François. Je suis le cousin de Nathalie. Je suis suisse, j'habite à Genève. J'ai 14 ans. Je suis ......*

5 À toi d'enregistrer un message pour te présenter. Regarde les expressions-clés.
Exemple

> *Je me présente: je m'appelle Nathalie. J'ai 14 ans. Je suis française. Je suis petite et mince. Je suis blonde. J'ai les cheveux assez longs. J'ai les yeux bleus.*

Expressions-clés

Je me présente:
Je m'appelle... . J'ai ... ans
Je suis anglais(e)/gallois(e)/écossais(e)/irlandais(e)
Je suis grand(e)/petit(e), assez gros(se)/mince
Je suis brun(e)/blond(e)/roux/rousse
J'ai les cheveux courts/longs/raides/frisés
J'ai les yeux bleus/verts/marron
J'ai des lunettes

Lothaire arrive

Alors, Lothaire voyage comment? Il arrive à Dieppe quel jour? À quelle heure?

6a 📼 Écoute Lothaire. Recopie et complète son message faxé.

○ Bonjour Martin! → transport
○ J'arrive à Dieppe en . . . . . . le . . . . .
○ à . . . . . heures.
○ À bientôt! ← date
○ Lothaire

6b Réponds aux questions d'Antoine.
Exemple Lothaire voyage en …

7a 📼 Marc et François viennent aussi à Dieppe. Prends des notes pour chacun (transport, date, heure).

Guide pratique

Pour comprendre un texte enregistré:
– avant d'écouter, lis bien les questions
– pense au vocabulaire possible
– avec la cassette, concentre-toi sur les questions
– trouve les mots-clés/détails importants
– écoute plusieurs fois si c'est nécessaire.

7b Écris un fax comme Lothaire pour François et Marc.

Expressions-clés

Allô, ici …
Je prends l'avion/le train …
J'arrive le 12 juillet.
J'arrive à 10 heures.
C'est ça.
À bientôt!

8 👥 Regarde les dessins et adapte la conversation.
Exemple

A: Allô, ici [*nom*].
B: Bonjour [*nom*]!
A: Je prends [*transport*] et j'arrive à [*ville*] le [*date*] à [*heures*].
B: Alors, tu arrives ici en [*transport*] le [*date*] à [*heures*], c'est ça?
A: Oui, c'est ça. À bientôt!
B: À bientôt!

Encore!

👥 Imagine d'autres voyages et adapte la conversation de l'activité 8.

En plus …

Tu es Lothaire, Marc ou François. Décris ton voyage!
Exemple Je suis parti de [ville] le [date]. J'ai pris le [transport]. Je suis arrivé à [ville] le [date] à [heure].

Bienvenue chez moi!

You will learn how to ...

✓ show someone round your home: *Voici ta chambre. La cuisine est au bout du couloir.*

✓ find out about your visitor's needs: *Tu veux prendre une douche?*

✓ accept/refuse an offer politely: *Oui, je veux bien, merci./Oui, s'il vous plaît, si c'est possible. Non merci, ça va.*

Voici ta chambre!

1 🔊 Écoute Martin et relie les noms aux pièces.

2 🔊 Marc arrive chez Antoine. Écoute. Recopie et complète la description de l'appartement.

> Voici l'appartement. ......, dans l'entrée, c'est la salle de bains. Les WC sont ...... la salle de bains. ......, c'est ma chambre et là, c'est ta chambre! ...... ma chambre, il y a la chambre de mon frère et de ma sœur. ......, il y a la chambre de mes parents. ...... couloir, c'est la cuisine, avec un balcon. Avant la cuisine, il y a le séjour ...... et la salle à manger .... Bienvenue chez moi!

3 👥 **A** dessine le plan de sa maison/son appartement en secret. **A** décrit et **B** dessine le plan. Comparez et changez de rôle.
Exemple *Chez moi, il y a une entrée. Dans l'entrée à gauche, il y a des WC, ...*

une chambre	le séjour	les WC
la salle à manger	le balcon	la cuisine
le couloir	l'entrée	la salle de bains

Expressions-clés

Voici l'appartement.
Là, c'est ta chambre.

à droite
à gauche
en face   de la .../du ... , il y a ...
à côté
au bout

avant/après   le/la/les ... ,   il y a ...

Fais comme chez toi!

a téléphoner chez toi

b manger quelque chose

c boire quelque chose

d prendre une douche

e défaire tes bagages

f te reposer

4a Écoute. Qu'est-ce que Monsieur Berthault propose à Lothaire?
Exemple d, …

b Réécoute. Lothaire accepte (✔) ou il refuse (✘)?
Exemple d – ✘

c Écoute encore. Écris la réponse de Lothaire (voir les expressions-clés).
Exemple d – *Non merci, ça va.*

d Écoute et répète bien l'intonation.

Expressions-clés

Tu veux boire/manger/téléphoner, etc.?

Pour accepter/refuser poliment:
Oui, je veux bien, merci.
Oui, s'il vous plaît, si c'est possible.
Non, merci, ça va.
• à un adulte: S'il *vous* plaît
• à un copain: S'il *te* plaît
• Pour un adulte, ajoute *monsieur/madame.*

5 **B** choisit quelque chose en secret (dessins *a–f*). **A** devine. **B** refuse ou accepte poliment. Changez de rôle. Qui devine le plus vite?

A Tu veux défaire tes bagages?

B Oui, je veux bien, merci! *ou* Non merci, ça va.

Encore!

Apprends la conversation de l'activité 4 par cœur et joue avec ton/ta partenaire.

En plus …

Trouve d'autres propositions pour ton invité(e)!
Exemple
Tu veux regarder la télé?

C'était vraiment super!

You will learn how to ...

✓ write about your stay: *Je suis allé(e) en ville. J'ai acheté des souvenirs.*

✓ say how it was: *C'était vraiment super.*

✓ write thank-you notes: *Merci beaucoup pour votre accueil, c'était vraiment très gentil.*
  Tu as été super sympa avec moi, merci!

a   **b**   **c**

d

mercredi 15 juillet
Je suis allé à la plage avec Martin et ses copains. Brrr, l'eau était froide! Après, on a mangé des crêpes, c'était bon!

vendredi 17 juillet
C'est moi qui ai fait la cuisine aujourd'hui! M. Berthault était content. J'ai fait un plat québécois. Ce n'était pas mal.

jeudi 16 juillet
Aujourd'hui, j'ai visité Dieppe: je suis allé au château et à la Cité de la mer. C'était très intéressant.

samedi 18 juillet
Ce matin, je suis allé en ville. C'était le jour du marché. J'ai acheté des souvenirs et des cadeaux. Ce n'était pas cher!

1 Trouve la bonne photo pour chaque jour.

2 **A** pose des questions. **B** (Lothaire) essaie de répondre de mémoire.

A Qu'est-ce que tu as fait le 15 juillet?

B Je suis allé ...

3 Imagine les trois derniers jours de Lothaire à Dieppe. Écris son journal.
Exemple *dimanche 19 – J'ai fait une promenade en mer avec Martin et Nathalie. C'était génial! ...*

à la piscine	au cinéma	au musée	au parc
avec	j'ai regardé	j'ai mangé	je suis allé
c'était super/intéressant		

Lothaire part

Les vacances de Lothaire sont finies. Il rentre à Montréal. Il écrit à Martin et à son père.

4 Lis et remets en ordre les quatre parties de chaque lettre.

Lettre 1: c, …   *Lettre 2:*

5 Trouve comment Lothaire dit *a–c* à M. Berthault et à Martin. Fais deux listes.

a I loved my holiday in Dieppe.
b Thanks for looking after me, it was nice of you.
c Good-bye and see you soon.

LETTRE 1

A   Au revoir et à bientôt!

B   J'ai beaucoup aimé mes vacances à Dieppe. Merci beaucoup pour votre accueil, c'était vraiment très gentil.

C   Cher Monsieur Berthault

D   Lothaire

LETTRE 2

A   Salut et à bientôt!

B   Lothaire

C   Géniales, mes vacances à Dieppe. Tu as été super sympa avec moi, merci!

D   Salut, Martin!

Expressions-clés

aux parents
Cher Monsieur X, Chère Madame X.
J'ai beaucoup aimé mes vacances.
Merci pour votre accueil.
Au revoir et à bientôt.

aux copains
Salut, X!
Géniales, mes vacances!
Tu as été super sympa avec moi.
Salut et à bientôt!

Guide pratique

Au brouillon et au propre

- Écris ton texte au brouillon.
- Relis, vérifie et corrige:
  1 tu as bien mis tous les accents?
  2 tu as fait tous les accords (adjectifs, verbes, etc.)?
  3 tu as bien écrit tous les mots? (Si tu n'es pas sûr(e), regarde dans le dictionnaire.)
- Montre ton texte à ton/ta partenaire ou à ton professeur. Corrige une dernière fois.
- Maintenant, écris ton texte au propre!

📖 N'oublie pas! Le dictionnaire est très utile pour vérifier comment on écrit les mots.

6a Écris une lettre à un copain après des vacances chez lui en France.

b Écris une lettre aux parents de ton copain. Utilise les expressions-clés.

ZOOM sur… c'était + adjectif

J'**habite** à Dieppe.
C'est super!

J'**ai visité** Dieppe.
C'était super!

7 Lis les bulles. Avec le présent, on utilise *C'est* … Avec le passé composé, on utilise … ?
C'était = ? en anglais?

8 Recopie et complète les phrases.
a J'aime le football. …… génial!
b Je suis allé à la patinoire. …… marrant.
c J'ai mangé un gâteau. …… délicieux.
d Je vais au musée. …… intéressant.
e J'ai détesté ce film. …… nul!

148

Gros plan sur Marie à Dieppe

You will learn how to …

✓ give and understand personal information (revision)

✓ pronounce the sound *oi*

Voici Marie. Elle a 13 ans. Elle habite à Dieppe. Elle a une sœur.

1a Lis les questions.

a Tu as un petit boulot?

b C'était comment?

c Tu parles quelles langues?

d Tu es restée combien de temps?

e Tu as combien d'argent de poche?

f Tu apprends l'anglais comment?

g Tu es déjà allée dans quels pays?

h Qu'est-ce que tu as fait?

i Qu'est-ce que tu fais avec ton argent de poche?

j Tu as voyagé comment?

b 📼 Écoute. Numérote les questions dans l'ordre de la cassette.

Exemple 1 – g

2 📼 Écoute et note les réponses de Marie à chaque question.

3 Recopie et complète l'autobiographie de Marie.

Je suis allée en .... J'ai pris le .... Je suis restée .... J'ai .... C'était .... J'ai un petit boulot, je .... J'ai ...... d'argent de poche. Avec mon argent, je .... Je parle ...... langues: .... Pour apprendre l'anglais, je ....

4 Relis la page 67. Réponds aux 20 questions et écris ton autobiographie. D'abord, fais un brouillon. Après, écris au propre.

Guide pratique

Pour ne pas oublier ton français pendant les vacances, il faut:

– écouter la radio française

– regarder la télé française si tu as des chaînes-satellite

– lire des magazines français

– inventer des conversations en français!

– relire tes notes (regarde la page 67).

La complainte de Lothaire

Finies les vacances,
Les vacances en France.
Je rentre chez moi
(Je suis québécois),
Mais avant de partir,
J'achète des souvenirs.

Pour ma mère,
un foulard en soie,
Pour mon père,
une liqueur de noix,
Pour mon frère,
un jouet en bois,
Pour grand-mère,
des bonbons dieppois –
Et pour moi? Oh là là,
pour moi, je ne sais pas!

Un foulard en soie,
une liqueur de noix,
un jouet en bois,
des bonbons dieppois …
et pour moi, oh là là,
pour moi, je ne sais pas!

Pourquoi pas
un chapeau chinois
ou alors
un tee-shirt à pois?
Pourquoi pas
un beau jeu de l'oie
ou encore …
Ah non, je ne peux pas.
Et pourquoi? Oh là là,
Je n'ai plus d'argent, voilà!

Pas de chapeau chinois
Pas de tee-shirt à pois
Pas de jeu de l'oie –
Ah non, je ne peux pas.
Et pourquoi? Oh là là,
Je n'ai plus d'argent, voilà!

5 📼 Écoute la chanson. Numérote et note les cadeaux dans l'ordre.
Exemple 1 – c, un foulard en soie

6 📼 Apprends et chante.

Ça se dit comme ça!

oi

7 📼 Écoute et répète.
toi et moi
un bois québécois
de la soie à pois
Je vois qu'il boit de la noix!

8 📼 À toi! Écoute pour vérifier.
Il était une fois
une marchande de foie
qui vendait du foie
dans la ville de Foix.
Elle se dit: "Ma foi,
c'est la dernière fois
que je vends du foie
dans la ville de Foix."

Tu sais … ?

✓ te décrire	*Je suis grand(e), mince, brun(e) avec les cheveux courts. J'ai les yeux bleus. J'ai des lunettes.*
✓ dire quand tu arrives	*J'arrive en (train), le (3 mars) à (18 heures).*
✓ faire visiter ta maison	*Voici ta chambre. La salle de bains est en face.*
✓ parler à un(e) invité(e)	*Tu veux prendre une douche/te reposer?*
✓ répondre poliment	*Oui, je veux bien. Non merci, ça va.*
✓ parler des vacances	*Je suis allé(e) en France. J'ai visité Paris. C'était super/nul.*
✓ dire merci	*Merci beaucoup pour votre accueil.*

Et en grammaire … ?

✓ le passé composé (révisions)	*J'ai acheté, Je suis allé(e)*
✓ c'était + adjectif	*C'était super*

En équipe

Bienvenue chez nous!

Préparez une brochure pour de jeunes touristes français/francophones qui voudraient venir un week-end dans votre ville.

- **Quand venir?**

1 Faites une liste des fêtes de votre ville.
Exemple *le 1er janvier: le Nouvel An, le 15 mars: la fête de la ville, …*

2 Écrivez vos recommandations sur la brochure.
***Exemple** Nous recommandons: Le 15 mars, c'est la fête de la ville. On fait un défilé, on danse dans les rues, on mange …*

- **Comment arriver?**

3 Faites une liste des transports pour arriver dans votre ville.
Exemple *L'avion, le train, …*

4 Écrivez vos recommandations sur la brochure.
***Exemple** Pour arriver à Thistown, il faut prendre le bateau et le train. Il y a un bateau à dix heures, …*

- **Quoi faire?**

5 Faites une liste des activités dans votre ville.
Exemple *la piscine, le musée, le cinéma, …*

6 Écrivez vos recommandations sur la brochure.
Exemple *On peut: visiter le musée, …*

- **Quelle expérience!**

7 Imaginez le week-end d'un groupe de jeunes Français dans votre ville. Décrivez ce week-end au passé sur la brochure.

> Nous avons passé un week-end génial à Thistown. Nous sommes venus à Thistown le 15 mars. Nous avons visité le musée. C'était intéressant. …

Équipe-Magazine

les bons plans J&J

Séjours linguistiques

Apprendre en s'amusant

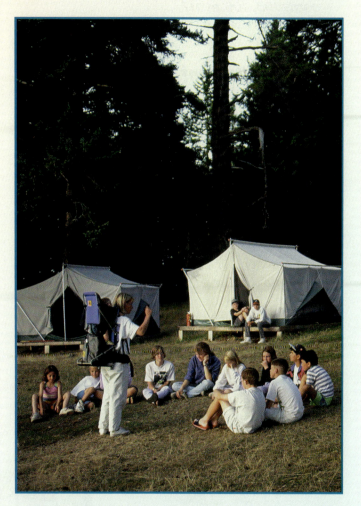

Les summer camps

Des colonies de vacances largement répandues aux États-Unis. Vous vivez parmi de jeunes Américains et vous dormez sous la tente ou en bungalow. Préparer un feu de bois, monter à cheval … permettent de pratiquer la langue en s'amusant. **Pour les 11–17 ans.**

Sur un campus américain

Partez étudier dans une université aux États-Unis. La vie sur un campus est géniale. C'est une véritable petite ville avec des bars, des restaus, des magasins, des cinémas … Au programme: 20 heures de cours par semaine, sport à gogo, concerts, excursions … **Pour les 14–18 ans.**

Des idées de séjours à thèmes

VIDÉO ET MÉDIA: En quelques semaines, vous réalisez en équipe un petit film et écrivez le scénario, en anglais bien sûr! **Pour les élèves à partir de 13 ans.**

EN AVANT LA MUSIQUE: Les accros de musique opteront pour des vacances musicales en Angleterre ou en Allemagne. Quelques heures par jour, vous jouez d'un instrument ou vous chantez. Pour progresser en langue et en musique! **Pour les 13–17 ans.**

LE RODÉO: Entraînez-vous au rodéo dans un ranch au Texas! Vous apprenez à seller, à lancer un lasso et vous faites des promenades. Le soir, vous retrouvez votre famille d'accueil ou vous campez à l'extérieur. **Pour les 15–17 ans.**

Révisions Unités 7, 8, 9

Regarde les sections "Tu sais …?"
pages 93, 105 et 117.

Un peu d'argent

1a 🔊 Écoute et note la somme.
Exemple   Émilie – 25F par semaine

Théo   Gaëtan   Félix

Patricia   Mathilde

b 🔊 Réécoute. Qu'est-ce qu'ils ont fait avec leur argent?
Exemple   Émilie – magazine

2 👥 Regarde les dessins. **A** décrit le petit boulot. **B** devine la personne.
Exemple

A: Je fais du baby-sitting.
B: Tu es Émilie.
A: Oui.

3 Et toi? Tu as un petit boulot? Tu as de l'argent de poche? Qu'est-ce que tu fais avec ton argent? Écris un paragraphe (20–30 mots environ).

Émilie   Gaëtan   Théo

Mathilde   Patricia   Félix

En visite

4a Lis la lettre. Qui est Patricia: *a* ou *b*?

> *Salut!*
> *Je me présente: je m'appelle Patricia*
> *Delamarre. J'ai quatorze ans. Je suis belge. Je*
> *suis grande et assez mince. Je suis brune. J'ai*
> *les cheveux courts et frisés et les yeux marron.*
> *J'ai des lunettes.*
> *Patricia*

a b

4b Adapte la lettre de Patricia et écris ta description. Change les détails soulignés.

5a Sandrine a visité Paris. Regarde ses photos. **A** décrit une des photos.

> **A** *Elle a défait ses bagages.*

> **B** indique la bonne photo. *C'est lundi.*

5b Imagine le journal intime de Sandrine.
Exemple *Mardi, j'ai visité la Tour Eiffel. C'était très intéressant. Je suis montée à pied. Après, j'ai mangé une glace. C'était délicieux, mais assez cher.*

6 Tu veux organiser une boum pour des correspondants français. Pour organiser une boum, qu'est-ce qu'il faut faire? Fais une liste. Qui a la liste la plus longue?
Exemple *Il faut faire les invitations, il faut acheter à boire, etc.*

lundi · mardi · mercredi · jeudi · vendredi · samedi

Les pages "encore/en plus"

Question de look

1 PANTALON = 4 TENUES

1 Lis les étiquettes et relie aux photos.

2 📼 Écoute. La tenue préférée de Nathalie, c'est quoi? Et la tenue préférée de Karima?

3 👥 Décris une tenue. Ton/Ta partenaire devine!

Exemple

A: C'est un pantalon noir, une veste noire …
B: C'est le numéro deux.

4 📼 Écoute. C'est la tenue préférée de Martin ou d'Antoine?

Pour aller au collège, ma tenue préférée, c'est …

a un pantalon noir + une chemise bleue + une veste noire + des sandales noires = une tenue "rock"

b un pantalon noir + une chemise verte + des sandales noires = une tenue "été"

c un pantalon noir + un blouson blanc + des sandales noires = une tenue "ville"

d un pantalon noir + un pull rose + un cardigan rose + des chaussures blanches = une tenue "charme"

5 📼 Réécoute. Recopie et complète la bulle pour Martin et pour Antoine.

un jean	bleu(es)
un pantalon	noir(es)
un sweat	vert(es)
un tee-shirt	blanc/blanche(s)
des baskets	rouge(s)
un blouson	beige(s)
des chaussures	

En plus ... unité 1

Au magasin de vêtements

1 🔊 Écoute et lis la conversation. Note les réponses de Karima.
Exemple *b, ...*

> On va en ville? Je voudrais acheter <u>un pull</u> pour aller <u>au collège</u>.

> D'accord!

Nathalie
– Tu aimes <u>ce pull vert</u>?

– Et <u>ce pull bleu</u>, ça me va?

– Super, <u>ce pull gris</u>!

– Moi, j'adore. Je prends <u>le pull gris</u>!

Karima
{
a – Ah oui, <u>j'aime bien</u>.
b – Ah non, <u>je n'aime pas</u> <u>beaucoup</u>.
}

{
c – Oui, ça te va bien. C'est sympa.
d – Non, ça ne te va pas. C'est <u>trop grand</u>.
}

{
e – Oui, c'est super.
f – Bof! Ce n'est pas ton genre. Le look <u>habillé</u>, ça ne te va pas.
}

2a 👥 **A** est Nathalie. **B** est Karima. **B** utilise les autres réponses.
Exemple

A: On va en ville? Je voudrais acheter un pull pour aller au collège.
B: D'accord!
A: Tu aimes ce pull vert?
B: Ah oui, j'aime bien. ...

b 🔊 Écoute pour vérifier.

3 Relis la conversation de l'activité 1. Change les mots soulignés avec des éléments de la boîte. Écris la nouvelle conversation.
Exemple – *On va en ville? Je voudrais acheter <u>une chemise</u> pour aller <u>à une boum</u>.*

Nathalie:	Karima:
une chemise	j'adore / je déteste
à une boum	pratique
cette chemise	petit
blanche	décontracté
bleue verte	

4 👥 Joue ta conversation avec un(e) partenaire.

Encore! unité 2

Le cinéma, c'est sympa!

cinéma – grand écran – dolby digital

trilogie star wars édition spéciale

vendredi 6 juin

billets en vente le jour même à partir de 14 h.

la guerre des étoiles 20h30
l'empire contre attaque 22h45
le retour du jedi 1h00

1 film: 15, 26 et 40 frs / 3 films: 45, 56 et 92 frs
dsn – cinéma jean renoir – dieppe
1, quai bérigny – 02 35 82 04 43 – 3615 inf 76

1 Réponds aux questions.

a C'est quel cinéma?

b Quelle est l'adresse du cinéma?

c Quel est le numéro de téléphone?

d On peut acheter des billets avant le 6 juin?

e À quelle heure commence *La Guerre des étoiles*?

f À quelle heure commence *L'Empire contre-attaque*?

g Comment s'appelle le troisième film?

h On peut voir un film pour 15 francs?

i On peut voir trois films pour 40 francs?

2 📼 Écoute l'annonce. Trouve les trois erreurs.

- *Astérix et les Indiens*, dessin animé, 20 avril, 17 h 45
- *Babe, le cochon devenu berger*, comédie animalière, 22 avril, 19 h 05
- *Chacun cherche son chat*, comédie, 26 avril, 20 h 15
- *L'Effaceur*, film d'action avec Arnold Schwarzenegger, 29 avril, 21 h 10
- *Fargo*, film policier, 1 mai, 20 h 25
- *Mission: impossible*, film d'espionnage avec Tom Cruise, 3 mai, 19 h

3 👥 Invente des conversations.
A choisit un film de la liste et invite son/sa partenaire. **B** accepte/refuse.
Puis, changez de rôles.
Exemple

A: Tu veux venir voir *Fargo* avec moi?

B: C'est quelle sorte de film?

A: C'est un film policier.

B: C'est quand?

A: C'est le premier mai.

B: C'est à quelle heure?

A: Le film commence à 20 h 25. Tu veux venir?

B: Oui, je veux bien.

En plus ... unité 2

Toutes les infos sur les films de la semaine

CINÉMA LE REX à DIEPPE
08 36 68 6902*
Cinéfil, le fil du ciné ... toutes les informations
ou sur Minitel 3615 CINEBOX*

Toutes les infos sur le répondeur:
petit mode d'emploi
APRÈS AVOIR ACTIVÉ LA TOUCHE

1 La touche 1 sert à sélectionner un film.
2 La touche 2 donne les horaires du film sélectionné.
3 La touche 3 vous communique le résumé du film.
4 La touche 4 vous informe du tarif.
8 Cette touche vous permet de réécouter l'information que vous venez d'entendre

A tout moment, vous pouvez appuyer sur une touche, pour gagner du temps.

1 Tu veux des informations. Lis les instructions sur la carte. C'est quelle touche?
a Combien coûte un billet?
b Est-ce qu'il y a un film de science-fiction ce soir?
c La séance commence à quelle heure?
d Tu veux écouter les infos une deuxième fois.
e Tu veux choisir un film.
f Il y a des réductions le mercredi?

2 🔊 Écoute les informations sur les horaires (touche 2). Note les heures des séances.
Exemple 14 h 15, ...

3 👥 **A** choisit un film au cinéma Rex.
B devine le film choisi. Puis changez de rôles.
Exemple

A: Je vais voir un film de science-fiction dimanche.
B: Un film de science-fiction ... C'est à quelle heure?
A: Le film commence à 20 h 30.
B: Tu vas voir *Le Retour du Jedi*.
A: Oui.

CINÉMA
REX (4 SALLES)
Répondeur 08 36 68 69 02 – 3-5 Place Nationale – DIEPPE
Ven., Sam. 14 h 15. 20 h 45. 23 h
Dim. 14 h 15. 16 h 30. 20 h 45 – Lun., Mar. 14 h 15. 20 h 45
Un film de Claude Zidi avec Josiane Balasko, Christophe Lambert
Serveuse dans un restaurant routier, Arlette est loin de se douter
que son destin est en train de se jouer

ARLETTE
Ven., Sam. 14 h 15. 20 h Dim. 14 h 15.
Lun. 20 h 30 – Mar. 14 h 15. 20 h 30
Un film de Baz Luhrmann avec Leonardo Dicaprio, Claire Danes
La plus grande histoire d'amour que le monde ait connue.

ROMÉO ET JULIETTE
Ven., Sam. 23 h Dim. 14 h 15. 20 h 45 –
Lun. 14 h 15. – Mar. 20 h 45.
Un film de Roger Donaldson avec Pierre Brosnan, Linda Hamilton
Rien n'arrête la colère de la terre

LE PIC DE DANTE
Ven., Sam. 14 h 15. 23 h
Dim. 16 h 30. 20 h 30 – Lun. 14 h 15. 20 h 30 – Mar. 14 h 15.
Avec Harrison Ford, Carrie Fisher, Mark Hamill, Peter Cushing
Il y a vingt ans dans notre galaxie

LE RETOUR DU JEDI
Ven. 20 h 45 – Sam. 14 h 15. 20 h 45. –
Dim. 14 h 15. 16 h 30 – Mar. 20 h 45.
Walt Disney présente un film de Stephen Herek avec Glenn Close,
Jeff Daniels, Joely Richardson

LES 101 DALMATIENS

Encore! unité 3

1a 📼 Écoute. Qui accepte (✓) et qui refuse (✗) l'invitation?

Exemple 1 ✓

b 📼 Réécoute. Si l'invitation est acceptée, note les détails (activité, heure).

Exemple 1 ✓ *ville 4 h 30*

c 👥 Fais des conversations.

Exemple

A: Tu veux aller en ville?
B: Oui, je veux bien.
A: On se retrouve à quelle heure?
B: À quatre heures et demie?
A: D'accord.

2 👥 Regarde le menu. Adapte la conversation. Change les expressions soulignées.

A: Qu'est-ce que tu as mangé?
B: J'ai mangé <u>un sandwich jambon-fromage</u>.
A: Qu'est-ce que tu as bu?
B: J'ai bu <u>un thé</u>.
A: Tu as payé combien?
B: J'ai payé <u>39</u> francs.

Menu

Les Boissons Rafraîchissantes

1/4 Vichy, 1/4 Evian	13,00	1/4 Limonade	13,00
Lait froid	12,00	Perrier 33cl	17,00
Pepsi, Gini	16,00	Orangina	16,00
Jus de fruits	16,00		

Les Sandwichs

Jambon beurre	18,00	Thon	24,00
Jambon-fromage	22,00	Crabe	24,00
Fromage	18,00	Poulet	24,00

Les Crêpes

Beurre	15,00	Fromage	26,00
Œuf	26,00	Jambon	26,00
Jambon-fromage	34,00		

Les Boissons Chaudes

Café	7,50	Café double	14,00
Décaféiné	8,00	Café crème	15,00
Lait chaud	12,00	Chocolat	15,00
Thé de Ceylan	17,00	Earl grey	17,00

3 Recopie et complète la carte postale.

Chère Jasmine,
Je suis triste sans toi! Tu aimes le Canada? Qu'est-ce que tu fais le week-end?
Samedi dernier, j'ai _____ au foot au parc et j'ai _____ des copains au club des jeunes. On a _____ aux cartes.
Dimanche, j'ai _____ du patinage avec Antoine. C'était marrant! Puis j'ai _____ sur Internet avec Nathalie.
Écris-moi bientôt!
Grosses bises, Martin

surfé joué fait
retrouvé joué

En plus ... unité 3

1a 📷 Écoute. Recopie et complète l'agenda.

b C'était un week-end intéressant? Tu es d'accord?

2a 👥 Adapte la conversation. Change les expressions soulignées.

A: Tu as mangé dans quel restaurant?
B: J'ai mangé à <u>Pizza Hut</u>.
A: Quand?
B: <u>Le week-end dernier</u>.
A: Qu'est-ce que tu as mangé?
B: J'ai mangé <u>une pizza "quatre saisons"</u>.
A: Qu'est-ce que tu as bu?
B: J'ai bu <u>du coca</u>.
A: Tu as payé combien?
B: J'ai payé <u>cinquante-cinq francs</u>.
A: C'était bien?
B: <u>Oui</u>, c'était <u>délicieux</u>!

b Écris un rapport sur ta visite.
Exemple *Le week-end dernier, j'ai mangé à Pizza Hut avec ma famille. J'ai mangé … C'était …*

3 Regarde l'agenda de ton week-end à Paris. Écris une carte postale.
Exemple *Samedi matin, j'ai acheté des souvenirs au marché. C'était intéressant. Samedi après-midi, …*

visiter acheter faire (fait) voir (vu)
manger boire (bu) payer

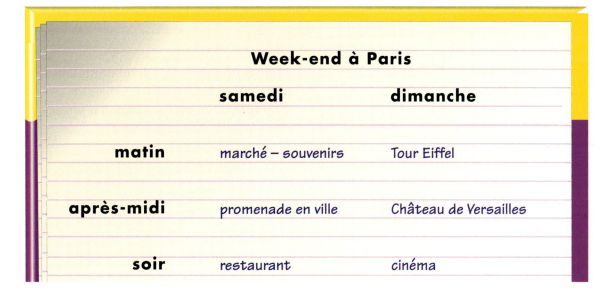

Week-end à Paris

	samedi	dimanche
matin	marché – souvenirs	Tour Eiffel
après-midi	promenade en ville	Château de Versailles
soir	restaurant	cinéma

Encore! unité 4

Vive le week-end!

1 Qu'est-ce qu'ils ont fait? Écoute la cassette. C'est samedi ou dimanche?

2 👥 Qui parle?

A *Dimanche, j'ai fait le ménage.*

B *Maman?*

A *Oui.*

3 Choisis un jour: samedi ou dimanche. Écris qui a fait quoi.

Exemple *Dimanche, maman a fait le ménage dans la salle à manger. Anne a …*

128 *cent vingt-huit*

En plus … unité 4

"Tu n'as pas rangé ta chambre?"

1 🔘 Lis les questions *a–e*. Écoute Marie.
Réponds aux questions.

a Elle a fait les courses?

b Elle a fait la cuisine?

c Elle a mis le couvert?

d Qu'est-ce qu'elle a fait après le repas?

e Qu'est-ce qu'elle a fait dans le séjour?

2 👥 Jeu de rôle.

Personnages: la mère/le père et un(e)
adolescent(e)

Situation: L'adolescent(e) est en vacances.
Il/Elle a passé la journée à la maison. La
mère/le père rentre après une journée au
travail. La maison est en désordre. La mère/le
père est furieuse/furieux.

Commencez:

Mère/Père: Qu'est-ce que tu as fait toute la
journée?

Adolescent(e): J'ai regardé des vidéos!

Mère/Père: Tu as regardé des vidéos???
Tu n'as pas fait les courses?

Adolescent(e): Euh, non, je n'ai pas fait les
courses.

Mère/Père: Tu n'as pas fait le ménage? …

3 Prends de bonnes résolutions. Écris une liste.

Exemple

*Je vais faire
les courses
tous les jours.*

Phrases utiles

tous les jours

tous les matins

tous les soirs

tous les week-ends

régulièrement

Encore! unité 5

Ça se fête!

1 Trouve l'intrus.

a janvier mars septembre mercredi juin avril

b Noël Aïd Anniversaire Pâques Épiphanie

c dinde huîtres gâteau champagne dattes

2 🔊 Écoute. C'est quelle fête?
Exemple 1 a – C'est Noël.

a   **b**   **c**   **d**

Qu'est-ce que tu as fait le soir de Noël?

Je ...... chez mon oncle et ma tante. On ...... des huîtres et de la dinde. Après, avec mes cousins, j'...... à des jeux électroniques et j'...... des films en cassettes vidéo. C'était sympa.

Je ...... au restaurant avec mes parents. J'...... beaucoup de fruits de mer! J'...... un peu de champagne. Après, on ...... à la messe de minuit à l'église.

3 Recopie et complète les bulles avec les verbes dans la boîte.

| est allés   suis allée   suis allé   a mangé |
| ai mangé   ai joué   ai regardé   ai bu |

4 Et toi, qu'est-ce que tu as fait à Noël? Écris/Enregistre. Change les expressions soulignées.

Cette année, à Noël, je suis allé(e) chez ma grand-mère. J'ai mangé beaucoup de chocolat! J'ai regardé une émission de musique à la télévision. C'était super.

En plus ... unité 5

Jours fériés

Un jour férié, c'est un jour spécial: on ne travaille pas.

1. **La Fête du Travail**, c'est le 1er mai. Ce jour-là, les syndicats de travailleurs défilent dans les rues. C'est aussi la Fête du Muguet: on s'offre cette belle petite fleur blanche.

2. **La Pentecôte**, c'est le septième dimanche et lundi après Pâques. C'est une fête religieuse. Les gens vont en week-end à la campagne. Il y a beaucoup de monde sur les routes.

3. **La Fête Nationale**, c'est le 14 juillet. Ce jour-là, on décore les rues avec des drapeaux et des lumières. Il y a un grand défilé militaire à Paris. Le soir, il y a des bals dans les rues et des feux d'artifice.

4. **L'Assomption**, c'est le 15 août. C'est une fête religieuse, la fête de la Vierge Marie. Ce jour-là, tous les magasins sont fermés. Il y a des défilés, des festivals folkloriques un peu partout.

5. **La Toussaint**, c'est le 1er novembre. Ce jour-là, c'est la Fête des Morts. On va mettre des fleurs sur les tombes dans les cimetières, à la mémoire des parents ou amis morts.

6. **Le 11 novembre**, c'est l'anniversaire de la fin de la première guerre mondiale (1918). Dans toutes les villes, il y a une cérémonie devant le Monument aux Morts.

Autres jours fériés:

1er janvier:	**Jour de l'An**
mars/avril:	le dimanche et le lundi de **Pâques** (fête religieuse)
mai/juin:	**L'Ascension**, c'est le sixième jeudi après Pâques (fête religieuse)
8 mai:	fête de **la Libération** (deuxième guerre mondiale)
25 décembre:	**Jour de Noël**

1 Lis l'article et relie les six jours fériés aux photos.

2 📼 Écoute et écris le nom de la fête pour chaque conversation.
Exemple 1 – le Nouvel An

3 👥 **B** ferme le livre.

A *La Toussaint, c'est quelle date?*

B *C'est le 1er novembre.*

A *Oui, c'est vrai.*

cent trente et un **131**

Tour du monde à vélo

À 27 et 25 ans, Claude et son amie Françoise avaient un grand rêve: faire le tour du monde. Le 1er avril 1980, ils sont partis de Lyon à vélo … pour faire un voyage extraordinaire!

D'abord, ils sont allés dans le nord de l'Europe, jusqu'au Cap Nord. Après, ils sont descendus par l'Europe centrale et ils sont allés en Asie. Ils sont restés six ans en Asie!

Ils ont visité le Pakistan, l'Inde, la Chine, et beaucoup d'autres pays! Ils ont eu beaucoup d'aventures: ils ont campé dans des déserts et dans la jungle, ils sont montés sur les sommets de l'Himalaya, ils ont mangé des choses très "exotiques": du hérisson, du singe, des coléoptères … et ils se sont mariés!

22

1 Lis l'article et trouve:
 a trois prénoms
 b deux mois
 c deux villes
 d neuf pays
 e trois animaux

2 Ça se dit comment en français?
 a An extraordinary trip
 b They went to Asia.
 c They stayed six years.
 d They camped in deserts and in the jungle.
 e They arrived in Australia.
 f They continued their adventure.

3 Relis l'article et réponds aux cinq questions.
 1 Claude et Françoise sont partis quand?
 2 Ils sont allés où?
 3 Ils ont voyagé comment?
 4 Ils sont restés combien de temps?
 5 C'était comment?

En plus ... unité 6

En 1987, ils sont arrivés en Australie. En 1988, en Nouvelle-Zélande, ils ont eu un bébé, une petite fille, Manon. C'était la fin du voyage? Eh non! Ils ne sont pas rentrés en France, ils ont continué leur aventure! Ils ont mis Manon dans un petit panier et ils sont remontés sur les vélos! Après, Manon était dans une petite remorque spécialement équipée.

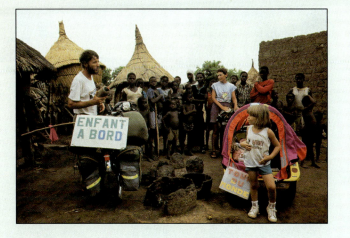

Avec Manon, ils ont traversé les États-Unis, l'Amérique du Sud, l'Afrique de l'Ouest, le Maroc et l'Espagne. Le 1er mai 1994, ils sont arrivés à Paris: c'était la fin d'un tour du monde de 14 ans!

C'était vraiment extraordinaire pour Claude et Françoise, mais surtout pour Manon, cette petite fille de six ans: elle a des copains sur tous les continents!

23

1 Lis l'article et trouve le français pour:
1 A big dream: to go round the world.
2 They got married.
3 They had a baby.
4 Was it the end of the journey?
5 They didn't go back to France.
6 They put Manon in a small basket.
7 They got on their bikes again.
8 Manon was in a specially equipped trailer.

2 Imagine: tu es Claude ou Françoise. Un reporter fait une interview sur Internet. Réponds à ses questions.
1 Vous êtes allé(e) où?
2 Vous êtes parti(e) quand?
3 Vous êtes resté(e) combien de temps?
4 Vous avez voyagé comment?
5 Qu'est-ce que vous avez fait?
6 C'était comment?

3 **A** est Claude ou Françoise. **B** est reporter et prépare 10 questions. Imaginez l'interview.

Encore! unité 7

1a 📼 Écoute Martin. Note les trois petits boulots qu'il a fait pour gagner de l'argent.

b Réécoute. Note son opinion de chaque activité.
Exemple a – super

2 Regarde les dessins à droite. Que disent les trois personnes?
Exemple 1 – J'ai <u>trente</u> francs par semaine. J'achète <u>un magazine</u> et <u>des boissons</u>. Je mets de l'argent de côté pour acheter <u>un vélo</u>.

3 Martin écrit à Jasmine après la boum. Recopie et complète sa lettre.

> Chère Jasmine,
> Samedi dernier, c'était l'_____ de Nathalie. On s'est bien amusés. On a _____ une super boum au club. Nathalie a fait les _____ sur l'ordinateur, Antoine a _____ la musique, Karima a _____ à manger et à boire et moi, j'ai rangé les _____ et j'ai préparé les _____. On a beaucoup dansé! Dimanche matin, j'étais _____ fatigué!
> J'ai acheté du papier à lettres comme _____ pour Nathalie, parce qu'elle aime écrire des lettres, surtout à toi. Moi aussi!
> Écris-moi bientôt! Grosses bises,
> Martin

invitations	pizzas	acheté
très	cadeau	organisé
choisi	anniversaire	meubles

En plus ... unité 7

1a 🔊 Écoute Antoine et prends des notes.
Qu'est-ce qu'il a fait pour gagner de l'argent?

b 🔊 Réécoute. Il a gagné combien?

2a Lis la lettre et réponds aux questions.

J'ai passé un week-end très actif! Samedi matin, je suis allée au club de tennis, où j'ai gagné un match! L'après-midi, je suis allée en ville avec mon copain pour acheter des cadeaux de Noël. J'ai choisi un livre pour mon copain, parce qu'il adore la lecture. Le soir, j'ai fait du baby-sitting, parce que mes parents sont allés au cinéma. J'aime bien ça, parce que je gagne dix francs de l'heure! Mon petit frère est allé au lit à huit heures et, après ça, j'ai regardé un super film à la télévision.

Dimanche, j'ai promené le chien, j'ai joué avec mon frère, j'ai fait de la natation et j'ai joué aux jeux vidéo au club des jeunes. Et toi? Tu as passé un bon week-end?

Marilyne

a Qu'est-ce que Marilyne a fait samedi matin?
b Pourquoi est-ce qu'elle a choisi un livre pour son copain?
c Le baby-sitting, c'est bien payé? Qu'en penses-tu?
d Elle a fait quels sports pendant le week-end?
e Tu as fait les mêmes activités que Marilyne le week-end dernier?

2b Écris une réponse à Marilyne pour décrire un week-end très actif!
Exemple *Chère Marilyne, j'ai passé aussi un week-end actif. Samedi matin, je suis allé(e) …*

On s'amuse

1 👥 Qu'est-ce qui est le plus amusant?
Décidez.

A *Aller au cinéma, c'est plus amusant.*

B *Non, lire un magazine, c'est plus amusant.*

a aller au cinéma/lire un magazine
b jouer au football/faire du ski
c aller au collège/aller à la piscine
d ranger sa chambre/faire la vaisselle
e faire les courses/faire la cuisine
f avoir un ordinateur/avoir un vélo

Le bon numéro?

3 👥 **A** choisit un dessin et demande le
numéro. **B** donne le numéro.

2a 📼 Écoute les conversations. Le numéro
dans la liste est bon (✔) ou non (✗)?

b 📼 Réécoute. Recopie et corrige les numéros
qui sont faux.

Le Grand Café Capucines	01 43 12 19 00
Pariscope	01 41 34 73 47
Tour Eiffel	01 44 11 23 23
Musée Claude-Monet	02 32 51 28 21
Parc floral	04 72 45 69 18
Club des jeunes	03 80 08 67 25

Pour téléphoner, qu'est-ce qu'il faut faire?

1a Relie les instructions aux photos.
   a Il faut composer le numéro demandé.
   b Tu as une télécarte? On peut acheter une carte à la poste ou au tabac.
   c Après ta conversation, il ne faut pas oublier de retirer la carte.
   d D'abord, il faut décrocher le combiné.
   e Il faut introduire la carte.

b Écris les instructions dans le bon ordre.

2 Tu vas à Paris en avril avec ta grand-mère. Écris une lettre à l'Office de Tourisme. (Adapte la lettre A, page 104.)

Demande:
   a une liste des hôtels
   b un plan de la ville
   c des brochures touristiques.

Encore! unité 9

Les correspondants arrivent

1 Lis les lettres des correspondants. Trouve Camille et Sébastien sur la photo.

> Salut!
>
> Je suis Camille Lahaye. J'ai 14 ans. <u>Je suis assez petite, assez grosse. Je suis brune avec les cheveux courts et frisés. J'ai les yeux marron.</u>

> Salut!
>
> Je m'appelle Sébastien Saurel. J'ai 13 ans. J'habite à Dieppe, à côté du port. J'ai un frère et deux sœurs. Je suis en cinquième au collège Georges Braque. <u>Je suis grand, assez mince, brun avec les cheveux courts et raides. J'ai les yeux marron et j'ai des lunettes.</u> Et toi, tu es comment? Envoie-moi une photo! À bientôt!

2 Imagine la lettre des deux autres jeunes Français. Écris comme sur le modèle (les phrases soulignées).
Exemple *a – Je suis grande, très mince …*

3 Écris une lettre à Sébastien pour te présenter.

4a **A** est Sébastien, **B** est son correspondant. Remettez la conversation dans l'ordre.

B: C'était bien?
A: C'était génial!
B: Et après, tu es allé où?   **commence ici**
A: J'ai visité les universités.
B: Salut! Alors, Oxford, c'était comment?
A: Oui, des souvenirs et des cadeaux pour ma famille.
B: Qu'est-ce que tu as fait à Oxford?
A: Après, je suis allé au marché.
B: Tu as acheté quelque chose au marché?
A: Ah oui, c'était vraiment super!

b Écoutez pour vérifier.

c À vous de jouer la conversation.

En plus ... unité 9

Le parfait invité

Es-tu l'invité(e) parfait(e)? Réponds aux questions. Compte tes points et lis les commentaires.

1a Avant de partir, tu envoies une description de toi à ton hôte.
Oui? (1 point)   Non? (0 point)

b Décris-toi physiquement dans une lettre à ton hôte (1 point par information).

2a Quelques jours avant, tu informes ton hôte de la date et l'heure de ton arrivée.
Oui? (1 point)   Non? (0 point)

b Regarde ton billet. Enregistre un message sur le répondeur de ton hôte avec le plus possible de renseignements (1 point par information).
Exemple   Allô, ici ...

3a Pour toi, être poli(e) avec tes hôtes, c'est ...
a très important. (2 points)
b assez important. (1 point)
c pas très important. (0 point)

b 🔊 Tu arrives chez ton hôte. Regarde les dessins. Écoute et réponds à ton hôte (1 point par réponse polie).

eurostar

Paris-Nord

Départ 18/12 à 15 h 23 de London Waterloo | **Arrivée** 18/12 à 19 h 23 à Paris-Nord

A utiliser dans le train 9038

4a Après ton séjour,
a tu écris un mot à tes hôtes pour dire merci. (1 point)
b tu attends Noël pour écrire une carte. (0 point)

b Écris une lettre à la famille d'accueil. Choisis les bonnes formules! (1 point par phrase bien choisie)

Salut!	Chère Madame, cher Monsieur,
Génial, mon séjour chez vous!	J'ai beaucoup aimé mon séjour chez vous.
J'ai bien aimé les visites, surtout à la Tour Eiffel!	C'était super, les visites!
Merci beaucoup pour votre accueil.	Vous avez été super sympa avec moi!
À plus tard!	Au revoir et à bientôt!

Résultats

moins de 10 points Tu n'es pas très sociable, fais un effort!

de 10 à 20 points Tu es un(e) bon(ne) invité(e). C'est bien.

plus de 20 points Tu es l'invité(e) idéal(e)! Bravo!

Introduction

All languages have grammatical patterns (sometimes called "rules"). Knowing the patterns of French grammar helps you understand how French works. It means you are in control of the language and can use it to say exactly what you want to say, rather than just learning set phrases.

Here is a summary of the main points of grammar covered in *Équipe 1* and *2*, with some activities to check that you have understood and can use the language accurately.

Glossary of terms

noun   *un nom*
a person, animal, place or thing

Nathalie achète un **jean** au **supermarché**.

---

singular   *le singulier*
one of something

Mon frère a rangé **sa chambre**.

---

plural   *le pluriel*
more than one of something

Les filles adorent **les émissions sportives**.

---

pronoun   *un pronom*
a short word used instead of a noun or name

Il a un pantalon noir.
Elles sont allées au cinéma.

---

verb   *un verbe*
a doing word

On **va** à la piscine.
J'**ai fait** mes devoirs.

---

adjective   *un adjectif*
a word which describes a noun

Ce film est **nul**.
C'est un appartement **moderne**.

---

preposition   *une préposition*
describes position: where something is

Je m'habille **dans** ma chambre.

Grammaire

1 Nouns   *les noms*

Nouns are the words we use to name people, animals, places or things. In English, nouns often have a small word in front of them (*a, the, this, my, his,* etc.).

1.1 Masculine and feminine

All French nouns are either masculine or feminine.

	Masculine words	Feminine words
a or *an*	un	une
the	le	la

For example: **un** ordinateur   **une** émission
                      le cinéma   **la** cassette

When you meet a new noun, learn whether it is masculine or feminine:

une chemise ✓   chemise ✗

1.2 Singular and plural

Singular = one   Plural = more than one

Most French nouns add -*s* to make them plural, just as in English:

la jambe ➜ *les jambe***s**

Remember that in French the -*s* at the end of the word is not usually pronounced.

Some nouns do not follow this regular pattern:

- nouns ending in -*al* usually change to -*aux*:
un animal ➜ *des anim***aux**

- nouns already ending in -*s*, -*x* or -*z* usually stay the same:
le bras ➜ *les bras*
le prix ➜ *les prix*

- nouns ending in -*eau* or -*eu* add -*x*:
un château ➜ *des château***x**
un jeu ➜ *des jeu***x**

- a few nouns change completely:
un œil ➜ *des **yeux***

In front of plural nouns, the words for *a* and *the* change:

un/une ➜ **des**   *le/la* ➜ **les**

For example:
*Nathalie écoute **une** cassette.*
*Nathalie écoute **des** cassettes.*

Le *professeur est travailleur.*
Les *professeurs sont travailleurs.*

1.3 de + noun

Remember:

de + le ➜ **du**   *de + la* ➜ **de la**
de + l' ➜ **de l'**   *de + les* ➜ **des**

- Use *du, de la, de l'* or *des* + noun when you want to say *some* or *any.*
*On a mangé **des** croissants avec **de la** confiture.*
We ate **some** croissants with jam.

*Tu as **du** chocolat?*
Have you got **any** chocolate?

Note: In English, you can often leave out the word *some* or *any*. In French it can never be left out:

*On a bu **du** coca.*
We drank **some coke**./We drank **coke**.

- Use noun + *de* + noun to show who (or what) things belong to:
*les baskets **de Martin***   **Martin's** trainers
*les questions **des élèves***   **the pupils'** questions

(See 7.2. for negative + noun.)

2 Adjectives   *les adjectifs*

Adjectives are describing words.

2.1 Form of adjectives

In French, the adjective changes to match the word it is describing. Like a noun, it must be either masculine or feminine, singular or plural.

To show this, there are special adjective endings:

	singular	plural
masculine words	add nothing	add *-s*
feminine words	add *-e*	add *-es*

For example:

mon père est petit   *mes frères sont petit**s***
*ma mère est petit**e***   *mes sœurs sont petit**es***

Some adjectives do not follow this regular pattern.

For example:

- adjectives ending in *-eur* or *-eux* usually change to *-euse* in the feminine:
  un frère travailleur ➔ *une sœur travaill**euse***
  un frère courageux ➔ *une sœur courag**euse***

- adjectives which already end in *-e* don't need to add another one in the feminine (but they do add *-s* when they describe plural words):
  un frère timide ➔ *une sœur timide*
  *des enfants timid**es***

- a very few adjectives stay the same whether they are masculine or feminine, singular or plural:
  un cousin sympa, une cousine sympa, des cousins sympa
  le film est super, la France est super, les magazines sont super

- some adjectives have their own pattern:

m. singular	f. singular	m. plural	f. plural
beau*	belle	beaux	belles
nouveau*	nouvelle	nouveaux	nouvelles
bon	bonne	bons	bonnes
gros	grosse	gros	grosses
vieux*	vieille	vieux	vieilles

* become *bel, nouvel, vieil* before a masculine noun that starts with a vowel: *le nouvel an*

A Recopie les phrases. Choisis la bonne forme de l'adjectif.

a C'est une ...... maison. [vieux]
b Martin a acheté de ...... chaussures. [beau]
c Les nouvelles ne sont pas .... [bon]
d C'est un ...... problème. [gros]
e J'ai vu son ...... appartement. [nouveau]
f Les animaux sont .... [beau]

2.2 Position of adjectives

In French, the pattern is for the adjective to come after the noun:

*un film **violent**, une ville **importante**, des copains **sympa**.*

Some adjectives break this rule. The following come before the noun:

grand petit	jeune vieux	bon mauvais
nouveau	beau	gros

For example:
*un **nouveau** jean   la **jeune** fille   de **bonnes** idées*

B Trouve la bonne forme et position pour les adjectifs. Fais des phrases comme dans l'exemple.

Exemple Elle habite une maison. [beau]
*Elle habite une **belle** maison.*

a J'ai vu deux documentaires. [intéressant]
b Tu as ta robe? [vert]
c Elles ont une voiture. [petit]
d Il sort avec une copine. [anglais]
e J'ai fait un gâteau. [gros]
f Il y a un documentaire? [bon]
g C'est une question. [intelligent]
h Au cinéma il y a un film. [vieux]

2.3 Comparatives

If you want to compare one thing with another, add *plus* before an adjective (to mean *more*).
The adjective must agree with the noun as usual.

*Ce film est **plus** intéressant.*
This film is **more** interesting.

*Les billets sont **plus** chers ici.*
The tickets are **more** expensive here.

2.4 Demonstrative adjectives

ce, cet, cette, ces can be used instead of *un/une/des* or *le/la/les* if you want to say *this* or *that*.

*Tu aimes **ce** livre?*
Do you like **this** book?

*Je ne connais pas **cette** fille.*
I don't know **that** girl.

*Je prends **ces** chaussures.*
I am taking **these** shoes.

	masculine	feminine
singular	ce cet*	cette
plural	ces	ces

* *cet* is used before masculine singular words that begin with a vowel or a silent *h* (*cet étage, cet hôtel*).

C Qu'est-ce que tu vas acheter? Fais des phrases avec *ce, cet, cette, ces.*

Exemple Je vais acheter **cette** robe, ces ...

---

3 Possessive adjectives
les adjectifs possessifs

These are adjectives that show who or what something belongs to (*my* bag, *your* CD, *his* brother). They come before the noun they describe, in place of *un/une/des* or *le/la/les,* for example.

Like all adjectives, they have to match the noun they describe:

	singular		plural
	masculine	feminine*	masculine or feminine
my	mon	ma	mes
your	ton	ta	tes
his/her	son	sa	ses

*before a feminine noun that begins with a vowel, use *mon, ton, son* (**ton** amie, **mon** imagination, **son** opinion).

For example:
Ma sœur déteste **ton** frère.
My sister hates **your** brother.

*Il a **ses** livres.*
He has **his** books.

---

4 Prepositions   *les prépositions*

These are words which tell you the position of something:

4.1 à

- Talking about time
  Use *à* to mean *at* when you talk about times. For example:

  Le bus est arrivé à quatre heures.
  The bus arrived **at** four o'clock.

- Talking about place
  Use *à* to say *at* or *to* a place:

  Il est allé à Dieppe.
  He went **to** Dieppe.

Important! With masculine or plural places, the *à* combines with the *le* or *les* in front of the noun to form a completely new word:

à + le ➜ *au*   *à + les* ➜ *aux*

For example:
Il est au cinéma.
He's **at** the cinema.

Ma cousine va aux États-Unis.
My cousin is going **to** the United States.

singular		plural
masculine	feminine	masculine or feminine
au*	à la	aux

*à l' before a vowel or a silent *h*: *à l'opéra, à l'hôpital*

4.2 en

In French, most names of countries are feminine. To say *in* or *to* these countries, use the word *en*:

Vous allez en France?   Are you going **to** France?

J'habite en Écosse.   I live **in** Scotland.

For masculine countries, use *au* instead (or *aux* if the country is plural):

Cardiff est au pays de Galles.
Cardiff is **in** Wales.

Je vais aux Antilles.
I'm going **to** the West Indies.

5 Pronouns   *les pronoms*

A pronoun is a small word which is used instead of a noun or name. It helps to avoid repetition.
For example:
*Ma copine s'appelle Anne. **Elle** a treize ans.*
My friend's name is Anne. **She** is thirteen.

5.1 Subject pronouns

The subject of a verb tells you who or what is doing the action of the verb. It is usually a noun, but sometimes it is a pronoun.

The French subject pronouns are:

I =	*je*	
	j'	in front of a vowel or an *h*: *j'aime/j'habite*
You =	*tu*	when talking to a child, a friend or a relative
	vous	when talking to an adult you are not related to, or more than one person
He =	*il*	for a boy or man
She =	*elle*	for a girl or woman
It =	*il*	if the thing it refers to is masculine
	elle	if the thing it refers to is feminine
We =	*nous*	
	on	is used more than *nous* in conversation.

Use *on* when speaking or writing to friends.
Use *nous* when writing more "official" texts.

They =	*ils*	for a masculine plural for a mixed group (masculine + feminine)
	elles	for a feminine plural
	on	when it means people in general

• *On*

On can mean *we, they* or *one/you*. It is always followed by the same form of the verb as *il/elle* (though in the *passé composé* the past participle after a part of *être* is often plural).

*On **peut** lire des magazines français.*
You/One can read French magazines.

*Au Québec, on **parle** français.*
In Québec, they speak French.

*On' **a parlé** au téléphone.*
We spoke on the phone.

*On **est arrivés** hier.*
We arrived yesterday.

5.2 Moi and toi

• For stress, put the pronouns *moi/toi* in front of the subject pronouns:

***Moi**, je vais au club. Et **toi**, tu vas où?*
I'm going to the club. What about **you**?

In front of *on*, use *nous* to stress *we*:

*Vous ne regardez jamais les infos à la télé? **Nous**, on regarde les infos tous les soirs.*
Don't you ever watch the news on TV? **We** watch the news every evening.

• Use *moi/toi* as one-word answers to a question:
*Qui veut aller au cinéma? **Moi!***
Who wants to go to the cinema? **Me!**

*Qui a gagné? **Toi!***
Who won? **You!**

• Use *moi/toi* after pronouns like *devant, chez* and *avec*:
*Tu arrives chez **toi** à quelle heure?*
What time do you get **home**?

*Tu joues au tennis avec **moi**?*
Will you play tennis with **me**?

6 Verbs   *les verbes*

Verbs are words which we use to describe what is happening.

I **go** to Paris. He **goes** to Paris. They **went** to Paris.
*Je **vais** à Paris. Il **va** à Paris. Ils **sont** allés à Paris.*

6.1 The infinitive

If you want to look up a verb in a dictionary, you have to look up the infinitive. Infinitives in French end with *-er, -re, -ir* or *-oir/-oire*. For example: *écouter, prendre, choisir, pouvoir, boire*.

(See also 6.12.)

6.2 The present tense

A verb in the *present tense* describes an action which is taking place now or takes place regularly.

Je vais au cinéma. (now)

Je vais au cinéma le lundi. (every Monday)

6.3 Regular verbs in the present tense

Verb endings change according to who is doing the action:

*Je regard**e** la télé.   Nous regard**ons** la télé.*

Most French verbs follow the same pattern. They have regular endings.

• Regular endings in the present tense
  – for verbs that end in *-er*, like *aimer*:

j'	aim**e**	nous	aim**ons**
tu	aim**es**	vous	aim**ez**
il/elle/on	aim**e**	ils/elles	aim**ent**

Other regular *-er* verbs: *adorer, danser, détester, écouter, habiter, jouer, regarder.*

  – for verbs that end in *-ir*, like *choisir*:

je	choisi**s**	nous	choisi**ssons**
tu	choisi**s**	vous	choisi**ssez**
il/elle/on	choisi**t**	ils/elles	choisi**ssent**

Other regular *-ir* verbs: *finir, remplir.*

6.4 Irregular verbs in the present tense

Some verbs do not follow these regular patterns. They are irregular verbs.

Here are some of the most useful ones.

	avoir (to have)	être (to be)
j'/je	ai	suis
tu	as	es
il/elle/on	a	est
nous	avons	sommes
vous	avez	êtes
ils/elles	ont	sont

	aller (to go)	faire (to do)
je	vais	fais
tu	vas	fais
il/elle/on	va	fait
nous	allons	faisons
vous	allez	faites
ils/elles	vont	font

	prendre (to take)	dormir (to sleep)	sortir (to go out)
je	prends	dors	sors
tu	prends	dors	sors
il/elle/on	prend	dort	sort
nous	prenons	dormons	sortons
vous	prenez	dormez	sortez
ils/elles	prennent	dorment	sortent

	boire (to drink)	écrire (to write)	lire (to read)
je/j'	bois	écris	lis
tu	bois	écris	lis
il/elle/on	boit	écrit	lit
nous	buvons	écrivons	lisons
vous	buvez	écrivez	lisez
ils/elles	boivent	écrivent	lisent

	mettre (to put, put on)	venir (to come)	voir (to see)
je	mets	viens	vois
tu	mets	viens	vois
il/elle/on	met	vient	voit
nous	mettons	venons	voyons
vous	mettez	venez	voyez
ils/elles	mettent	viennent	voient

	devoir (to have to)	pouvoir (to be able to)	vouloir (to want)
je	dois	peux	veux
tu	dois	peux	veux
il/elle/on	doit	peut	veut
nous	devons	pouvons	voulons
vous	devez	pouvez	voulez
ils/elles	doivent	peuvent	veulent

D **Écris les phrases avec la bonne forme des verbes.**

– Allô, Laure? Ici Julie. Tu [sortir] ce soir?

– Oui, avec Céline et Marie. On [aller] à la boum de Katie. Tu [venir] avec nous? On [prendre] le métro à huit heures.

– Non, je ne [pouvoir] pas. Ma mère [devoir] sortir et moi, je [faire] du baby-sitting!

– Ah, je [voir]! Pauvre Julie!

6.5 The perfect tense

A verb in the perfect tense (the *passé composé*) describes an action which happened in the past. There are several ways to translate the *passé composé* in English:

J'ai mangé *une pomme.*
I ate an apple. *or* **I have eaten** an apple.

For the perfect tense, you need two parts: the present tense of *avoir* or *être* + the past participle of the main verb. See 6.6, 6.7 and 6.8.

6.6 The past participle

To form the past participle take the infinitive of the verb and change the ending:

– infinitives ending *-er*: past participle ends *-é*:
  manger ➔ *mangé*   parler ➔ *parlé*

– infinitives ending *-ir*: past participle ends *-i*:
  choisir ➔ *choisi*   sortir ➔ *sorti*

– infinitives ending *-re*: past participle ends *-u*:
  descendre ➔ *descendu*

There are exceptions to this rule and you will need to learn them by heart:

avoir ➔ **eu**	être ➔ **été**	faire ➔ **fait**
venir ➔ **venu**	lire ➔ **lu**	
écrire ➔ **écrit**	mettre ➔ **mis**	prendre ➔ **pris**
voir ➔ **vu**	boire ➔ **bu**	
pouvoir ➔ **pu**	vouloir ➔ **voulu**	devoir ➔ **dû**

E **Écris les phrases avec la bonne terminaison du participe passé.**

À Noël, on a [faire] une grande fête: on a [mettre] de beaux vêtements et on a [boire] du champagne! Mon frère et moi, on a [avoir] beaucoup de cadeaux. Mes parents ont [prendre] des photos. Moi, j'ai [écrire] un poème pour ma mère. Quand elle a [lire] mon poème, elle a [être] contente.

6.7 Avoir + past participle

Most verbs take *avoir*:

présent	passé composé		
		avoir	+ past participle
je chante	j'	**ai**	**chanté**
tu chantes	tu	**as**	**chanté**
il chante	il	**a**	**chanté**
elle chante	elle	**a**	**chanté**
on chante	on	**a**	**chanté**
nous chantons	nous	**avons**	**chanté**
vous chantez	vous	**avez**	**chanté**
ils chantent	ils	**ont**	**chanté**
elles chantent	elles	**ont**	**chanté**

F **Quelles phrases sont au passé?**

1 Je mange des pommes au petit déjeuner.
2 J'ai bu du thé et mangé des gâteaux.
3 Je fais la vaisselle après le repas.
4 Moi, j'ai mis le couvert.
5 J'ai fini mon livre.

6.8 Être + past participle

Some verbs make their *passé composé* with *être* instead of *avoir*. They are mostly verbs that indicate movement. You will need to learn them by heart.

Try learning them in pairs:

arriver / partir	to arrive / to leave
entrer / sortir	to go in / to go out
rentrer / retourner	to go home / to go back to
aller / venir	to go / to come
monter / descendre	to go up / to go down
tomber / rester	to fall / to stay

• The ending of the past participle changes when it comes after *être* in the *passé composé*. It agrees with the subject of the verb (masculine/feminine, singular/plural).

*Je suis all**é** en France.*
*(Il est all**é** en France.)*

*Je suis all**ée** en France.*
*(Elle est all**ée** en France.)*

*Vous êtes all**és** en France?*
*Oui, nous sommes all**és** en France.*
*On est all**és** en France.*
*(Ils sont all**és** en France.)*

*Vous êtes all**ées** en France?*
*Oui, nous sommes all**ées** en France.*
*On est all**ées** en France.*
*(Elles sont all**ées** en France.)*

G **Recopie. Accorde le participe passé.**

a Ma mère est parti...... habiter à Paris.
b Nathalie et Karima sont resté...... à Dieppe.
c Mon frère est allé...... à l'université.
d Martin est tombé...... de son vélo.
e Karima et Antoine sont allé...... au cinéma.
f Les garçons sont rentré...... à dix heures.

H *Avoir* ou *être*? **Choisis pour chaque verbe.**

a Mes parents ...... organisé une fête.
b Ils ...... invité le cousin Alain. Et il ...... venu!
c Il ...... préparé le repas, et il ...... fait la vaisselle.
d Le soir, on ...... sortis: on ...... allés au cinéma.
e Il ...... tout payé! Et il ...... resté un mois!

6.9 C'était …

To say how things were in the past, use *c'était* + adjective.

C'était génial!   It was great!
C'était nul!   It was terrible!

6.10 Reflexive verbs

Reflexive verbs need a pronoun between the subject and the verb.

Subject   pronoun   verb

Je   **me**   *lève*   (I get myself up) I get up.
Je   **m'**   *habille*   (I dress myself) I get dressed.

Other reflexive verbs: *se laver, se brosser les dents, s'amuser, s'ennuyer, se coucher, se reposer.*

- The pronoun changes according to the subject it goes with:

je	+ **me/m'**
tu	+ **te/t'**
il/elle/on	+ **se/s'**

(See also 7.3)

I **Recopie et complète le poème.**

À quelle heure tu ...... réveilles?
Quand le soleil ...... lève!
Il ...... lave, le soleil?
Seulement avec la pluie!
La pluie ......'habille comment?
En gris, en général.
Tu ......'ennuies, toi, la nuit?
Non, je ......'amuse avec la Lune.
Elle ...... couche où, la Lune?
Sous le coin d'une étoile.

6.11 The imperative

The imperative is the form of the verb you use when you want to give someone an order, an instruction or advice.

When giving an instruction/order to

– someone you say *tu* to:
  use the *tu* form of the verb without *tu* (and no final *-s* for *-er* verbs)

– someone you say *vous* to:
  use the *vous* form of the verb without *vous*

tu		*vous*
Parle	Speak	*Parlez*
Écoute	Listen	*Écoutez*
Prends le livre	Take the book	*Prenez le livre*
Fais une liste	Make a list	*Faites une liste*

6.12 Verb + infinitive

Sometimes there are two verbs next to each other in a sentence. In French, the form of the first verb depends on the subject, and the second verb is in the infinitive.

J'aime aller au cinéma.
I like going to the cinema.

Tu dois faire tes devoirs.
You must do your homework.

On peut lire ce livre.
We can read this book.

Il va manger une pomme.
He's going to eat an apple.

- *Aller* + infinitive
  Use the present tense of the verb *aller* followed by an infinitive to talk about something that is going to happen in the near future:
  Je vais regarder le film ce soir.
  I'm going to watch the film tonight.

- Other uses of the infinitive
  – *Pour* + infinitive
    When *pour* (meaning *in order to*) is followed by a verb, that verb is always in the infinitive:

    Je vais en France pour **apprendre** *le français.*
    I go to France **to learn** French.

– *Il faut* + infinitive
The verb which comes after *il faut* (meaning *you have to*) is always in the infinitive:

*Il faut **utiliser** un ordinateur.*
You have to use a computer.

(See also 7.5)

J Recopie et complète avec le bon verbe à l'infinitif.

a Pour ...... connecté à Internet, il faut ...... un ordinateur et un modem.
b Il faut beaucoup ...... pour bien ...... le français!
c Pour ...... de l'argent, il faut ...... du baby-sitting.

avoir faire travailler être parler gagner

7 Negatives *la négation*

The negative form is used where we would say *not*. In French, you need two words: *ne* and *pas*, which go on either side of the verb.

NB: *ne* ➜ *n'* in front of a vowel or an *h*.

*Je **ne** suis **pas** français.*
I'm not French.

*Je **n'**habite **pas** à Lyon.*
I don't live in Lyons.

*On **ne** regarde **pas** la télévision.*
We don't watch TV.

7.1 *ne ... plus, ne ... jamais, ne ... rien*

There are other negatives which also go on either side of the verb.

ne/n' ... plus — no longer/no more
ne/n' ... jamais — never
ne/n' ... rien — nothing/not anything

*Je **n'**habite **plus** à Londres.*
I no longer live in London.

*Il **ne** parle **jamais** en français.*
He never speaks in French.

*Elle **ne** mange **rien**.*
She doesn't eat anything.

K Recopie et complète avec *plus/jamais* ou *rien*.

a – Elle habite à Paris?
  – Non, elle est partie. Elle n'habite ...... à Paris.
b – Tu viens au ciné?
  – Non.
  – Oh là là, tu ne veux ...... sortir!
c – Il ne parle ...... français, il a tout oublié!
d – Tu as faim? Désolé, il n'y a ...... dans le frigo!

7.2 *ne ... pas/plus/jamais + de/d' + noun*

• when you use *ne ... pas/plus/jamais* with a noun, replace *un/une/des* with *de* (*d'* in front of a vowel or an *h*):

*Il n'y a **pas de** pizza/gâteau/chips.*
There isn't any pizza/cake/there aren't any crisps.

*Il n'y a **plus de** bonbons.*
There aren't any more sweets.

*Je n'ai **jamais d'**argent.*
I never have any money.

7.3 Negative + reflexive verbs

To use reflexive verbs in the negative, put *ne* before the pronoun and *pas/plus/jamais* after the verb:

Je m'amuse. Et toi?
I'm having fun. How about you?

*Moi, je **ne** m'amuse **pas**.*
I'm not having fun.

7.4 Negative + the perfect tense

In the perfect tense, *ne* or *n'* goes before the auxiliary (*avoir* or *être*) and *pas/plus/jamais/rien* before the past participle:

*Je **n'**ai **pas** fait la vaisselle.*
I haven't washed up.

*On **n'**a **rien** mangé.*
We haven't eaten anything.

7.5 Negative + verb + infinitive

ne/n' goes before the first verb and *pas* before the second verb (in the infinitive).

Je **n'**aime **pas** aller au cinéma.
I don't like going to the cinema.

On **ne** peut **pas** lire ce livre.
We can't read this book.

L Les jumeaux ne sont jamais d'accord! Recopie et complète.

a Je m'amuse avec toi.
Moi, je ne ...... avec toi. [pas]

b J'aime lire ce magazine.
Moi, je n'...... lire ce magazine. [pas]

c Je veux encore manger du gâteau.
Moi, je ne ...... de gâteau. [plus]

d J'ai tout lu.
Moi, je n'...... lu. [rien]

e J'ai aimé le film.
Moi, je n'...... le film. [pas]

---

8 *qui*

qui means *who*, *which* or *that*.
It is used to link two parts of a sentence, to avoid repetition.
qui can stand for a singular or plural noun, and the verb that follows agrees with that noun:

J'ai un frère **qui** travaille dans un bureau.
I've got a brother **who** works in an office.

Elle a apporté les cassettes **qui** sont sur la table.
She brought the cassettes **that** are on the table.

M Recopie et complète les phrases.

1	J'ai un copain	**a**	qui est fatigant.
2	Marc a un petit boulot	**b**	qui adore l'informatique.
3	Elle aime les vêtements	**c**	qui sont sur la table.
4	Prends les cassettes	**d**	qui sont à la mode.
5	Ce sont mes copains	**e**	qui arrivent.

---

9 Asking questions

• You can ask questions by making your voice go up at the end:
Tu vas au cinéma. *Tu vas au cinéma?*
You go to the cinema. Are you going to the cinema?

• You can start with *est-ce que ...* to show it's a question:

Est-ce que tu vas au cinéma?	Are you going to the cinéma?
Est-ce qu'il y a un bon film?	Is there a good film on?

• You can use question words:

– combien

Ça fait combien?	How much is it?
Tu es resté combien de temps?	How long did you stay?

– comment

C'était comment?	What was it like?
Tu as voyagé comment?	How did you travel?
Elle est comment?	What does she look like?

– où

Tu es allé où?	Where did you go?

– pourquoi

Tu n'es pas venu. Pourquoi?	You didn't come. Why?

– qu'est-ce que

Qu'est-ce que tu as fait?	What did you do?

– quand

Tu es parti quand?	When did you leave?

– quel/quelle

Tu as quel âge?	How old are you?
Il est quelle heure?	What time is it?

– qui

C'est qui?	Who is it?
Qui est parti au Canada?	Who went to Canada?

N Relie les questions aux réponses.

1 Tu es parti. Pourquoi?
2 Tu es parti où?
3 Tu es parti quand?
4 Tu es parti comment?
5 Tu es parti avec qui?
6 Tu es parti combien de temps?
7 Qu'est-ce que tu as mangé?
8 C'était comment?

a Un an.
b En avion.
c Délicieux!
d Le 1er janvier.
e Du serpent et du crocodile!
f Avec un copain.
g Sur une île du Pacifique.
h Pour explorer le monde!

Answers to grammar activities

A a vieille; b belles; c bonnes; d gros;
     e nouvel; f beaux.

B a J'ai vu deux documentaires *intéressants*.
     b Tu as ta robe *verte*?
     c Elles ont une *petite* voiture.
     d Il sort avec une copine *anglaise*.
     e J'ai fait un *gros* gâteau.
     f Il y a un *bon* documentaire?
     g C'est une question *intelligente*.
     h Au cinéma, il y a un *vieux* film.

C Je vais acheter cette robe, ces tennis/baskets, ce pull, cet ordinateur, ces livres, cette guitare, ce vélo.

D – Allô, Laure? Ici Julie. Tu *sors* ce soir?
     – Oui, avec Céline et Marie. On *va* à la boum de Katie. Tu *viens* avec nous? On *prend* le métro à huit heures.
     – Non, je ne *peux* pas. Ma mère *doit* sortir et moi, je *fais* du baby-sitting!
     – Ah, je *vois*! Pauvre Julie!

E À Noël, on a *fait* une grande fête: on a *mis* de beaux vêtements et on a *bu* du champagne! Mon frère et moi, on a *eu* beaucoup de cadeaux. Mes parents ont *pris* des photos. Moi, j'ai *écrit* un poème pour ma mère. Quand elle a *lu* mon poème, elle a *été* contente.

F phrases au passé: 2, 4, 5, 6

G a partie; b restées; c allé;
     d tombé; e allés; f rentrés.

H a Mes parents *ont* organisé une fête.
     b Ils *ont* invité le cousin Alain. Et il *est* venu!
     c Il a préparé le repas et il *a* fait la vaisselle.
     d Le soir, on *est* allés au cinéma et il *a* tout payé!
     e Et il *est* resté un mois chez moi!

I À quelle heure tu *te* réveilles?
     Quand le soleil *se* lève!
     Il *se* lave, le soleil?
     Seulement avec la pluie!
     La pluie *s'*habille comment?
     En gris, en général.
     Tu *t'*ennuies, toi, la nuit?
     Non, je *m'*amuse avec la Lune.
     Elle *se* couche où, la Lune?
     Sous le coin d'une étoile.

J a Pour *être* connecté à Internet, il faut *avoir* un ordinateur et un modem.
     b Il faut beaucoup *travailler* pour bien *parler* le français!
     c Pour *gagner* de l'argent, il faut *faire* du baby-sitting.

K a plus; b jamais; c plus; d rien.

L a Moi, je ne *m'amuse pas* avec toi.
     b Moi, je n'*aime pas* lire ce magazine.
     c Moi, je ne *mange plus* de gâteau.
     d Moi, je n'*ai rien* lu.
     e Moi, je n'*ai pas aimé* le film.

M 1c, 2a, 3e, 4b, 5d, 6f

N 1h, 2g, 3d, 4b, 5f, 6a, 7e, 8c

Expressions utiles

Days *les jours de la semaine*

Monday	*lundi*
Tuesday	*mardi*
Wednesday	*mercredi*
Thursday	*jeudi*
Friday	*vendredi*
Saturday	*samedi*
Sunday	*dimanche*

Note: French days don't start with a capital letter.

- on Monday – *lundi*
  On Monday I went to Paris.
  Lundi, je suis allé(e) à Paris.

- every Monday/on Mondays – *le lundi*
  On Mondays I play basketball.
  Le lundi, je joue au basket.

Dates *les dates*

Use *le* before the number in dates:
Patrick was born on 9th January.
*Patrick est né **le** neuf janvier.*

Months *les mois*

January	*janvier*
February	*février*
March	*mars*
April	*avril*
May	*mai*
June	*juin*
July	*juillet*
August	*août*
September	*septembre*
October	*octobre*
November	*novembre*
December	*décembre*

Note: French months don't start with a capital letter.

- in + month – *en*
  We left in April.
  On est partis en avril.

  Her birthday is in July.
  Son anniversaire est en juillet.

The time *l'heure*

What time is it?	*Il est quelle heure?*
It is one o'clock.	*Il est une heure.*
What time is it at?	*C'est à quelle heure?*
It is at one o'clock.	*C'est à une heure.*

- on the hour

It's one/two/three o'clock.	*Il est une heure/deux heures/trois heures.*
It's midday.	*Il est midi.*
It's midnight.	*Il est minuit.*

- quarters and half hours

It's **half past** four.	*Il est quatre heures **et demie**.*
It's **quarter past** six.	*Il est six heures **et quart**.*
It's **quarter to** eight.	*Il est huit heures **moins le quart**.*

- minutes past/to

It's **ten past** one.	*Il est une heure **dix**.*
It's **five to** eleven.	*Il est onze heures **moins cinq**.*

- 24-hour clock

It's 7pm (19.00).	*Il est dix-neuf heures.*
It's 1.15pm (13.15).	*Il est treize heures quinze.*
It's 10.30pm (22.30).	*Il est vingt-deux heures trente.*
It's 3.45pm (15.45).	*Il est quinze heures quarante-cinq.*

Numbers

0	zéro	18	dix-huit	73	soixante-treize
1	un	19	dix-neuf	74	soixante-quatorze
2	deux	20	vingt	75	soixante-quinze
3	trois	21	vingt et un	76	soixante-seize
4	quatre	22	vingt-deux	77	soixante-dix-sept
5	cinq	23	vingt-trois	78	soixante-dix-huit
6	six	24	vingt-quatre	79	soixante-dix-neuf
7	sept	25	vingt-cinq	80	quatre-vingts
8	huit	26	vingt-six	81	quatre-vingt-un
9	neuf	27	vingt-sept	82	quatre-vingt-deux, …
10	dix	28	vingt-huit	90	quatre-vingt-dix
11	onze	29	vingt-neuf	91	quatre-vingt-onze, …
12	douze	30	trente	100	cent
13	treize	40	quarante	101	cent un
14	quatorze	50	cinquante	102	cent deux, …
15	quinze	60	soixante	200	deux cents
16	seize	70	soixante-dix	1000	mille
17	dix-sept	71	soixante et onze		
		72	soixante-douze		

Ordinal numbers

1st 1er premier *or* 1re première
2nd 2e deuxième
3rd 3e troisième
4th 4e quatrième
5th 5e cinquième
6th 6e sixième
7th 7e septième
8th 8e huitième
9th 9e neuvième
10th 10e dixième

It's his second exam.
C'est son deuxième examen.

I live on the fifth floor.
J'habite au cinquième étage.

Countries *les pays*

Australia	*l'Australie*
Belgium	*la Belgique*
Canada	*le Canada*
England	*l'Angleterre*
France	*la France*
Germany	*l'Allemagne*
Great Britain	*la Grande-Bretagne*
Ireland	*l'Irlande*
Italy	*l'Italie*
Japan	*le Japon*
Scotland	*l'Écosse*
Switzerland	*la Suisse*
Tunisia	*la Tunisie*
the United States	*les États-Unis*
Wales	*le pays de Galles*
the West Indies	*les Antilles*

Vocabulaire

A

il/elle/on **a** he/she/one has
à at, in, to
une **abeille** a bee
d' **abord** first
un **accessoire** an accessory
accompagné accompanied
d' **accord** OK
s' **accorder** to agree
un **accro** a fan
un **accueil** a welcome
acheter to buy
un **acteur** an actor
actif/active active
une **actrice** an actress
adapter to adapt
additionner to add
un **adolescent** a teenager
une **adresse** an address
adorer to love
une **affiche** a poster
afficher to stick up
l' **âge** age
agréable pleasant
j' **ai** I have
l' **Aïd-el-Fitr** Eid (festival)
aider to help
aïe! ouch!
ailleurs elsewhere
aimer to like, to love
ajouter to add
je suis **allé(e)** I went
l' **Allemagne** Germany
aller to go
un **aller simple** a single (ticket)
un **aller-retour** a return (ticket)
allô hello (over the phone)
alors so, then
américain/américaine American
un/une **ami/amie** a friend
l' **amitié** friendship
amitiés best wishes (in a letter)
amoureux/amoureuse in love
amusant/amusante funny, amusing
s' **amuser** to enjoy oneself

un **an** a year
j'ai quartorze ans I am fourteen
anglais/anglaise English
l' **Angleterre** England
une **année** a year
un **anniversaire** a birthday
Joyeux anniversaire! Happy birthday!
une **annonce** an advert
un **annuaire** a telephone directory
les **Antilles** the West Indies
août August
un **appartement** a flat
s' **appeler** to be called
apporter to bring
apprendre to learn
apprenez learn
appuyer to press
après after
l' **après-midi** the afternoon
l' **argent** money
l' **argent de poche** pocket money
une **armoire** a wardrobe
une **arrivée** an arrival
arrêter to stop
tu **as** you have
l' **Asie** Asia
assez rather, enough
atroce horrible
attacher to fasten
attendre to wait
au at, in, to
augmenter to increase
aujourd'hui today
aussi also, too
l' **Australie** Australia
l' **automne** autumn
autour around
autre other
aux at, to, in
ils/elles **avaient** they had
j'/tu **avais** I/you had
il y **avait** there was
avant before
avec with
vous **avez** you have
un **avion** a plane
un **avis** an opinion
avoir to have
nous **avons** we have
avril April

B

les **bagages** luggage
une **baguette** a French loaf
un **bal** a dance
un **balcon** a balcony
une **bande desinée** a comic strip
une **barque** a small boat
des **baskets** trainers
un **bateau** a boat
une **BD** a comic strip
beau/belle beautiful
beaucoup a lot
un **bébé** a baby
belge Belgian
la **Belgique** Belgium
belle beautiful
un **berger** a sheepdog
un **besoin** a need
beurk! yuk!
le **beurre** butter
une **bibliothèque** a library
bien well, good
bientôt soon
bienvenue welcome
un **bijou** a jewel
bilingue bilingual
un **billet** a ticket
une **bise** a kiss
blanc/blanche white
bleu/bleue blue
un **blouson** a bomber jacket
bof! so so, dunno!
boire to drink
le **bois** wood
une **boisson** a drink
bon/bonne good
bon appétit enjoy your meal
un **bonbon** a sweet
bonjour hello, good morning
une **botte** a boot
un **bouchon** a traffic jam
une **bougie** a candle
un **boulot** a job
une **boum** a party
un **bout** a bit, an end
une **bouteille** a bottle
un **bouton** a button
un **bras** an arm
une **brasserie** a bar
la **Bretagne** Brittany

brillant/brillante shiny
briller to shine
britannique British
une **brosse** a brush
se **brosser les dents** to brush your teeth
au **brouillon** in rough
brun/brune dark-haired
Bruxelles Brussels
j'ai **bu** I drank/I have drunk
une **bulle** a bubble
un **bureau** an office
vous **buvez** you drink
nous **buvons** we drink

C

ça it, that
une **cabine téléphonique** a phone box
cacher to hide
un **cadeau** a present
un **caleçon** a pair of leggings
un **calendrier** a calendar
un/une **camarade** a (school)friend
camper to camp
la **campagne** the countryside
un **camping** a campsite
un **car** a coach
le **caractère** character, personality
un **carnaval** a carnival
un **carnet** a notebook
une **carte** a card
une **case** a square (on game board)
une **casquette** a cap
un **casse-croûte** a snack
un **cauchemar** a nightmare
ce/cela/c' it, that
ce/cet/cette/ces this, these
cent a hundred
c'était it was
chacun each one, everyone
une **chaîne** a channel
une **chaise** a chair
une **chambre** a bedroom
un **championnat** a championship

une **chanson** a song
chanter to sing
un **chapeau de paille** a straw hat
chaque each
un **chat** a cat
un **château** a castle
un **château de sable** a sandcastle
chaud/chaude hot
une **chaussette** a sock
une **chaussure** a shoe
une **chemise** a shirt
cher/chère dear, expensive
chercher to look for
les **cheveux** hair
chez (Martin) at (Martin's)
un **chien** a dog
un **chiffre** a number
la **Chine** China
chinois/chinoise Chinese
des **chips** crisps
choisir to choose
choisissez choose
un **choix** a choice
une **chose** a thing
chouette! great!
chut! shhh!
le **cidre** cider
le **ciel** sky
un **cimetière** a graveyard
cinq five
cinquante fifty
cinquième fifth
un **clavier** a keyboard
cliquer to click
cocher to tick
un **cochon** a pig
un **coin** a corner
un **coléoptère** a beetle
coller to stick
un **collège** a high school
une **colonne** a column
combien how much, how many
un **combiné** a telephone receiver
comme like
commencer to start
comment how
un **commentaire** a commentary

un **commissariat** a police station
commode convenient, handy
commun common
communiquer to communicate
une **complainte** a lament
complet/complète full
composer to dial (a number)
comprendre to understand
compter to count
se **concentrer** to concentrate
un **concours** a competition
le **conditionnement** packaging
la **confiture** jam
connaître to know
un **conseil** a piece of advice
contenir to contain
content/contente happy
contre against
contre-attaquer to strike back
un **contrôle** a test
un **copain** a friend
une **copine** a (female) friend
correctement correctly
un/une **correspondant/ correspondante** a penpal
corriger to correct
la **Corse** Corsica
un **costume** a costume, suit
à **côté de** next to
se **coucher** to go to bed
une **couleur** a colour
un **couloir** a passage
un **coup** a blow
couper to cut
un **couplet** a verse
courageux/courageuse brave
une **couronne** a crown
le **courrier électronique** e-mail
un **cours** a lesson
les **courses** the shopping
court/courte short
un/une **cousin/cousine** a cousin
coûter to cost
un **crabe** a crab

craquant crunchy
une **cravate** a tie
créer to create
la **crème** cream
une **crêpe** a pancake
crier to shout
la **cuisine** the kitchen, cooking

D

d'abord first
d'accord OK
dans in
la **danse** dance
danser to dance
une **datte** a date (fruit)
un **dauphin** a dolphin
de from, of
un **dé** a dice
débile stupid
décembre December
décontracté relaxed, casual
découvrir to discover
décrire to describe
décrocher to pick up (the phone)
défaire to unpack
un **défilé** a fashion show, a parade
déjà already
le **déjeuner** lunch
déjeuner to have lunch
délavé faded
délicieux/délicieuse delicious
demain tomorrow
demander to ask
demi/demie half
une **dent** a tooth
le **départ** departure
un **département** a district
dépenser to spend
déplier to unfold
dernier/dernière last
derrière behind
descendre to go down
désolé/désolée sorry
le **désordre** the mess
un **dessert** a pudding, sweet
un **dessin** a drawing
un **dessin animé** a cartoon
dessiner to draw

dessous underneath
détaillé/détaillée detailed
détends relax
détester to hate
deux two
deuxième second
devant in front of
devenu become
vous **devez** you must
deviner to guess
devoir to have to, must
les **devoirs** homework
nous **devons** we must
dieppois/dieppoise from Dieppe
un **dictionnaire** a dictionary
difficile difficult
dimanche Sunday
une **dinde** a turkey
le **dîner** dinner
dîner to dine
dire to say
un **directeur** a headmaster
discuter to discuss
ils **disent** they say
disparu disappeared
se **disputer** to quarrel
une **disquette** a floppy disk
divisé/divisée divided
dix ten
dixième tenth
un **documentaire** a documentary
je **dois** I must
il/elle/on **doit** he/she/one must
ils/elles **doivent** they must
donner to give
dormir to sleep
je/tu **dors** you sleep
il/elle/on **dort** he/she/one sleeps
doucement softly
une **douche** a shower
un **drapeau** a flag
droite right
à **droite** on the right
drôle funny
du of, from
dur/dure hard
la **durée** the duration

E

un **échange** an exchange

une **école** a school

écossais/écossaise Scottish

l' **Écosse** Scotland

écouter to listen

écrire to write

un/une **élève** a pupil

éliminer to delete, cross out

elle she, her

elles they

une **émission** a TV programme

en in

encore again, more

un **enfant** a child

enregistrer to record

enseigner to teach

ensemble together

ensuite afterwards, then

entendre to hear

s' **entraîner** to practise

s' **ennuyer** to be bored

entre between

entrer to go in, come in

j'ai **envie de** I feel like

environ about

envoie send

envoyer to send

une **équipe** a team, a crew

une **erreur** an error

tu es you are

l' **Espagne** Spain

essayer to try

il/elle/on **est** he/she/one is

et and

un **étage** a storey

c' **était** it was

les **États-Unis** the United States

l' **été** summer

vous **êtes** you are

une **étiquette** a label

une **étoile** a star

une **langue étrangère** a foreign language

être to be

étudier to study

j'ai **eu** I had

euh erm (used for hesitation)

eux them

chez eux at their house

un **événement** an event

exactement exactly

s' **excuser** to apologise

une **explication** an explanation

expliquer to explain

explorer to explore

une **expression-clé** a key expression

exquis/exquise exquisite

un **extrait** an extract

F

en **face de** opposite

facile easy

j'ai **faim** I'm hungry

faire to make, to do

je/tu **fais** I/you make, do

nous **faisons** we make, do

il/elle/on **fait** he/she/one makes, does

j'ai **fait** I made, did

vous **faites** you make, do

une **famille** a family

un **fantôme** a ghost

fatigant/fatigante tiring

fatigué/fatiguée tired

fausse false

il **faut** you have to, you ought to, you need

une **faute** a mistake

faux/fausse false

faxé faxed

une **ferme** a farm

fermé/fermée shut, closed

une **fête** a party, a festival

un **feu** a fire

un **feu d'artifice** a fireworks display

une **feuille** a sheet of paper

un **feuilleton** a serial

une **fève** a charm

février February

une **fiche** a form

une **fille** a girl, a daughter

la **fin** the end

financier/financière financial

j'ai **fini** I've finished

finir to finish

les **fléchettes** darts

une **fleur** a flower

ma **foi!** goodness!

le **foie** liver

une **fois** a time, once

folklorique folk

ils/elles **font** they make, do

le **foot** football

la **forme** fitness

en forme fit

une **formule** a phrase

fort/forte strong

fou/folle mad

un **foulard** a scarf

frais/fraîche fresh

une **fraise** a strawberry

le **français** French

français/française French

francophone French-speaking

un **franc** a franc (unit of currency)

un **frère** a brother

un **frigo** a fridge

frisé/frisée curly

des **frites** chips

froid/froide cold

le **fromage** cheese

le **fruit** fruit

furieux/furieuse furious

G

gagner to earn, to win

la **galette des Rois** special cake eaten on 6th January

le **pays de Galles** Wales

gallois/galloise Welsh

un **garçon** a boy

garder to look after

une **gare** a station

ces **gars-là** those lads over there

un **gâteau** a cake

gauche left

à gauche on the left

une **gaufre** a waffle

en **général** in general

Genève Geneva

génial/géniale great, fantastic

le **genre** type, sort

des **gens** people

gentil/gentille nice

une **glace** an ice-cream

glacé/glacée iced

glissant/glissante slippery

glisser to slide

un **glossaire** a glossary

gourmand/gourmande greedy

un **goût** a taste

goûter to taste

grand/grande big, tall

la **Grande-Bretagne** Great Britain

une **grand-mère** a grandmother

un **grand-père** a grandfather

gras/grasse fatty

une **grille** a chart

gris/grise grey

gros/grosse plump, big

la **guerre** war

guidé/guidée guided

H

habillé/habillée smart, dressed-up

s' **habiller** to get dressed

habiter to live

haut/haute high, tall

hein eh

un **hérisson** a hedgehog

hésiter to hesitate

une **heure** an hour

à trois heures at three o'clock

heureux/heureuse happy

hier yesterday

un **homme** a man

un **hôpital** a hospital

un **horaire** a timetable

un **hôte** a host

une **hôtesse** a hostess

huit eight

huitième eighth

une **huître** an oyster

I

ici here

une **idée** an idea

idiot/idiote idiotic, stupid

il he

une **île** an island

illustré/illustrée illustrated
illustrer to illustrate
ils they
une **image** a picture
imaginer to imagine
imiter to imitate, copy
imprimer to print
inclus included
l' **Inde** India
indien/indienne Indian
indiquer to show, to point
les **informations** information, the news
les **infos** the news
s' **inquiéter** to be worried
un **instant** a moment
intéressant/intéressante interesting
s' **intéresser à** to be interested in
interroger to question
interviewer to interview
intime private
introduire to introduce
inventer to invent
un/une **invité/invitée** a guest, a visitor
inviter to invite
irlandais/irlandaise Irish
irrégulier/irrégulière irregular
l' **Italie** Italy

J

j' I
j'ai I have
jamais never
le **jambon** ham
janvier January
un **jardin** a garden
jaune yellow
je I
un **jean** a pair of jeans
jeter to throw
un **jeu de l'oie** a French board game
des **jeux** games
jeudi Thursday
jeune young
un/une **jeune** a young person
la **jeunesse** youth
joli/jolie pretty

jouer to play
un **jouet** a toy
un **jour** a day
un **jour férié** a holiday
un **journal** a diary
une **journée** a day
joyeux/joyeuse happy
juillet July
juin June
un **jumeau** a twin
une **jupe** a skirt
un **jus** a juice
jusqu'à until

L

l' the
la the
là there
là-bas over there
un **laboratoire** a laboratory
un **lac** a lake
laisser to leave
le **lait** milk
lancer to throw
une **langue** a language
laquelle which
largement répandues very widespread
le **lavage** washing
laver to wash
le the
un **lecteur de disquettes** a floppy disk drive
la **lecture** reading
un **légume** a vegetable
les the
une **lettre** a letter
leur their
leurs their
lever to lift, raise
une **liaison** a link
libre free
un **lieu** a place
une **ligne** a line
lire to read
un **lit** a bed
un **livre** a book
une **livre** a pound (unit of currency)
un **loisir** a leisure activity
Londres London
long/longue long
j'ai **lu** I have read, I read

lui him
la **lumière** light
lundi Monday
la **lune** the moon
des **lunettes** glasses

M

ma my
madame Mrs, madam
mademoiselle Miss
un **magasin** a shop
un **magnétophone** a tape recorder
mai May
une **main** a hand
maintenant now
mais but
une **maison** a house
mal badly
maman Mum
mamie Granny
la **Manche** the English Channel
manger to eat
un **mannequin** a model
manquer to miss
une **marchande de foie** a liver-seller
un **marché** a market
marcher to walk
mardi Tuesday
un **mariage** a wedding
marié/mariée married
le **Maroc** Morocco
une **marque** a brand-name
marrant/marrante funny
marron brown
mars March
un **martien** a Martian
un **masque** a mask
le **matin** morning
mauvais/mauvaise bad
meilleur/meilleure best
un **membre** a member
même same, even
la **mémoire** memory
ménager/ménagère household
les **travaux ménagers** housework
la **mer** the sea
merci thank you
mercredi Wednesday

une **mère** a mother
mes my
la **messe** Mass
la **météo** the weather forecast
le **métro** the underground
mettre to put, to put on
mettre le couvert to lay the table
un **meuble** a piece of furniture
midi midday, lunchtime
mieux better
au **milieu de** in the middle of
mille a thousand
mince thin, slim
le **Minitel** public information system (see p107)
minuit midnight
j'ai **mis** I have put, I put
une **mobylette** a moped
moche ugly, rotten
la **mode** fashion
à la mode fashionable
un **modèle** a model
moi me
moins less
un **mois** a month
mon my
le **monde** the world
mondial/mondiale global
la **monnaie** change
Monsieur Mr, sir
une **montagne** a mountain
monter to go up, climb
monter à cheval to go horse-riding
montrer to show
mort/morte dead
un **mot** a word
un **mot-clé** a key word
une **mouche** a fly
un **mouvement** a movement
le **Moyen Âge** the Middle Ages
un **mur** a wall
un **musée** a museum
la **musique** music
musulman/musulmane Muslim

N

nager to swim

la **naissance** birth
la **natation** swimming
ne … pas not
né/née born
nettoyer to clean
neuf nine
neuvième ninth
Noël Christmas
noir/noire black
une **noix** a walnut
un **nom** a surname
un **nombre** a number
nommer to name
non no
le **nord** north
normalement normally
nos our
noter to note
notre our
nous we
nouveau/nouvelle new
la **Nouvelle-Zélande**
    New Zealand
novembre November
une **nuit** a night
c'est **nul** it's rubbish
un **numéro** a number
numéroter to number

O

une **occasion** an opportunity,
    an occasion
s' **occuper** to be busy
octobre October
un **œil** an eye
un **œuf** an egg
s' **offrir** to buy oneself
on we, people, one
un **oncle** an uncle
ils/elles **ont** they have
onze eleven
ils/elles **opteront** they will opt
l' **or** gold
un **ordinateur** a computer
un **ordre** an order
ou or
où where
oublier to forget
oui yes

P

je **paie** I pay

le **pain** bread
une **paire** a pair
un **palais** a palace
un **panier** a basket
un **pantalon** a pair of
    trousers
papa Dad
le **papier** paper
papy Grandad
Pâques Easter
par by
parce qu'/que because
pardon sorry
parfait/parfaite perfect
le **parfum** perfume
parler to talk
parmi among
je **pars** I'm leaving
partager to share
un/une **partenaire** a partner
participer to take part
partir to leave
partout everywhere
pas not
pas de problème no
    problem
le **passé** the past
le **passé composé** the
    perfect tense
passer to spend (time)
un **passe-temps** a pastime,
    a hobby
le **patinage** skating
une **patinoire** an ice rink
pauvre poor
payer to pay
un **pays** a country
pencher to lean
pendant during, for
pénible annoying, a pain
penser to think
la **Pentecôte** Whitsun
perdu lost
un **père** a father
permettre to allow
un **personnage** a character
le **personnel** the staff
petit/petite small
un **peu** a little, a bit
j'ai **peur** I'm scared
il/elle/on **peut** he/she/we can
peut-être perhaps
ils/elles **peuvent** they can
je/tu **peux** I/you can

je **peux … ?** can I … ?
une **phrase** a sentence
physiquement physically
une **pièce** a room, a coin
une **pièce de théâtre**
    à play
un **pied** a foot
un **piéton** a pedestrian
un **pique-nique** a picnic
pique-niquer to have a
    picnic
une **piscine** a swimming pool
une **piste** a track
une **place** a square
une **plage** a beach
un **plaisir** a pleasure
plaît: s'il te/vous plaît
    please
    ça te plaît? do you
    like it?
la **planche à voile**
    windsurfing
un **planning** a rota
un **plat** a dish, a course
plat/plate flat
en **plein air** outdoors, in the
    open air
pleurer to cry
plier to fold
la **plongée** diving
la **pluie** the rain
    sous la pluie in the
    rain
le **pluriel** the plural
plus more, plus
plus tard later
plusieurs several
à **pois** spotted
le **poisson** fish
poli/polie polite
un **policier** a police officer
    un film policier
    a detective film
poliment politely
une **pomme** an apple
les **pompiers** the fire brigade
un **pont** a bridge
populaire popular
une **porte** a door
porter to wear
poser une question
    to ask a question
la **poste** the post office
le **poulet** chicken

pour for
pourquoi why
vous **pouvez** you can
pouvoir to be able to
nous **pouvons** we can
pratique practical
pratiquer to practise
préféré/préférée
    favourite
préférer to prefer
premier/première first
prendre to take
un **prénom** a first name
préparer to prepare
près near
au **présent** in the present
    tense
se **présenter** to introduce
    yourself
presque almost
pressé/pressée in a
    hurry
prêt/prête ready
principal/principale main
le **printemps** Spring
un **prix** a price
un **problème** a problem
un/une **prof** a teacher
un **professeur** a teacher
progresser to make
    progress
un **projet** a plan, a project
une **promenade** a walk
promener to take for a
    walk
se **promener** to go for a
    walk
un **pronom** a pronoun
la **prononciation**
    pronunciation
propre: écrire un texte
    au propre to write a
    final copy of a text
j'ai **pu** I could
publicitaire advertising
une **publicité** an advert
puis then
un **pull** a pullover

Q

un **quai** a platform
quand when
quarante forty

Vocabulaire

un **quart** a quarter

deux heures et quart quarter past two

trois heures moins le quart quarter to three

quatorze fourteen

quatre four

quatrième fourth

que that, what, which, than

québécois/québécoise from Quebec

quel/quelle what

quelque chose something

quelques some, a few

quelqu'un someone

qui who

quinze fifteen

quitter to leave

ne quitte(z) pas hold on, don't go away

quoi what

quotidien/quotidienne daily

R

faire du **racket** to take money off people by force

un **racketteur** a bully who takes people's money

racketter to take money off people by force

raconter to tell

rafraîchissant/ rafraîchissante refreshing

raide straight

une **raison** a reason

il a **raison** he is right

raisonnable reasonable, fair

ranger to tidy

rapide quick

un **rappel** a reminder

rappeler to remind

se **rappeler** to remember

rarement rarely

rayé/rayée striped

réaliser to make, to realize

recevoir to receive

je/tu **reçois** I/you receive

recommencer to start again

recopier to copy out

réécouter to listen again

refaire to do again

un **refrain** a chorus

regarder to look at, to watch

une **règle** a rule

une règle d'or a golden rule

regretter to regret, to be sorry for

régulièrement regularly

régulier/régulière regular

une **reine** a queen

relier to match up

religieux/religieuse religious

relire to read again

relis/relisez read again

remettre to put back

ils sont **remontés** they got back on

une **remorque** a trailer

remplacer to replace

remplir to fill

un **rendez-vous** a meeting

les **renseignements** information

rentrer to go back (home)

un **repas** a meal

répéter to repeat

répondre to answer

un **répondeur automatique** an answerphone

une **réponse** an answer

un **reportage** a report

se **reposer** to rest

respecter to respect

respectueux/ respectueuse respectful

se **ressembler** to be alike, look the same

un **restau** a restaurant

rester to stay

un **résultat** a result

résumer to summarize

retirer to pull back

le **retour** the return

retourner to return

retravailler to go back to work

retrouver to find again, to meet

se **retrouver** to meet up

réunir to reunite

un **rêve** a dream

un **réveil** an alarm clock

se **réveiller** to wake up

un **réveillon** a party on Christmas or New Year's Eve

réveillonner to see Christmas or the New Year in

réviser to revise

au **revoir** goodbye

le **rez-de-chaussée** the ground floor

ne ... **rien** nothing

riche rich

rigolo funny

une **rime** a rhyme

tu **ris** you laugh

une **robe** a dress

un **roi** a king

rond/ronde round

rose pink

rouge red

une **roulotte** a horse-drawn caravan

roux/rousse ginger

une **route** a route, road

une **rue** a street

S

sa his, her

je/tu **sais** I/you know

une **saison** a season

une **salle** a hall

une **salle à manger** a dining room

une **salle de bains** a bathroom

un **salon** a living room

salut hi

samedi Saturday

le **samedi** on Saturdays

sans without

la **santé** health

savoir to know

un **scénario** a script

une **scène** a scene, a sketch

scolaire school

une **séance** a performance

seize sixteen

un **séjour** a stay, a living room

le **sel** salt

seller to saddle up

selon according to, depending on

une **semaine** a week

un **sens** a meaning

sept seven

septembre September

septième seventh

une **série** a series

un **serpent** a snake

serré/serrée tight

un **serveur** a waiter

une **serveuse** a waitress

ses his, her

seul/seule alone

seulement only

sévère strict

un **short** a pair of shorts

un **siècle** a century

au 18ème siècle in the 18th century

un **singe** a monkey

sixième sixth

en **soie** made of silk

le **soir** the evening

ce soir-là that evening

soixante sixty

le **soleil** the sun

au soleil in the sunshine

en **solitaire** solo

une **somme** a sum, an amount

un **sommet** a peak

un **sondage** a survey

sonner to ring

sophistiqué/sophistiquée sophisticated

je/tu **sors** I/you go out

la **sortie** the exit

sortir to go out

sortir le chien to take the dog out

souffrir to suffer

souligné/soulignée underlined

une **souris** a mouse

sous under

sous la pluie in the rain

souvent often

spécialement especially

une **spécialité** a speciality

spécifique specific

sportif/sportive sporty

un **stade** a stadium

le **stop** hitchhiking

un **stylo** a pen

un **succès** a success

le **sud** south

suggérer to suggest

je **suis** I am

la **Suisse** Switzerland

suivant/suivante following

à **suivre** to follow

un **supermarché** a supermarket

sur on

sûr/sûre sure

surfer sur Internet to surf the Internet

surtout especially

un **sweat** a sweatshirt

sympa nice, kind

T

ta your

un **tabac** a tobacconist's

un **tableau de jeu** a board (for a game)

une **tâche** a task

une **tante** an aunt

taper to type

tard late

plus tard later

la **télé** TV

une **télécarte** a phonecard

le **temps** the weather, time

le temps libre free time

une **tenue** an outfit

une **terminaison** an ending

terminer to end

tes your

le **thé** tea

le **thon** tuna

tiens! here!

timide shy

le **tir à l'arc** archery

un **titre** a title

toi you

les **toilettes** the toilet

tomber to fall, to land

ton your

une **tortue** a tortoise

tôt early

tôt ou tard sooner or later

une **touche** a button (on a phone)

toujours always

une **tour** a tower

touristique for tourists

tourner to turn

tout/toute/tous/toutes all

la **Toussaint** All Saints' Day

tracasser to bother, to worry

une **traduction** a translation

le **travail** work

travailler to work

travailleur/travailleuse hard-working

à **travers** across

une **traversée** a crossing

traverser to cross

treize thirteen

trente thirty

très very

triste miserable, sad

trois three

troisième third

trop too, too much

trouver to find

tu you (to a friend or close relative)

U

un/une a, an, one

utile useful

un **utilisateur** a user

utiliser to use

V

ça me va? does it suit me?

ça te va bien that suits you

il/elle **va** he/she goes

on **va ... ?** shall we go ... ?

on y **va** let's go

les **vacances** holidays

je **vais** I go

la **vaisselle** the washing-up

la **vanille** vanilla

une **vedette** a star

un **vélo** a bike

faire du vélo to go cycling

vendu(e)(s) sold

vendredi Friday

venir to come

je suis **venu(e)** I came

un **verbe** a verb

un verbe pronominal a reflexive verb

vérifier to check

véritable real

la **vérité** the truth

un **verre** a glass

vers towards

vert/verte green

une **veste** a jacket

les **vestiaires** changing-rooms

un **vêtement** an item of clothing

veuillez agréer l'expression de mes sentiments respectueux yours sincerely

ils/elles **veulent** they want

il/elle/on **veut** he/she/one wants

la **vie** life

c'est la vie that's life

ils/elles **viennent** they come

elle **vient de** she comes from

la **Vierge** the Virgin Mary

vieux/vieille/vieil old

une **ville** a town

aller en ville to go to town

en ville in town

vingt twenty

vite quickly

la **vitesse** speed

vive ... long live ...

vivement ... roll on ...

le **vocabulaire** vocabulary

un **vœu** a wish

voici here is, here are

ils/elles **voient** they see

voilà there you are

la **voile** sailing

faire de la voile to go sailing

voir to see

un **voisin** a neighbour

voisin/voisine neighbouring

une **voiture** a car

une **voix** a voice

à haute voix aloud

voler to steal

ils/elles **vont** they go

vos your

votre your

ils/elles **voudraient** they would like

je **voudrais** I would like

vouloir to want

vous you (to an adult you don't know well, or to more than one person)

voyager to travel

une **voyelle** a vowel

vous **voyez** you see

voyons let's see

vrai true

j'ai **vu** I saw

Y

y there

il y a there is, there are

ça y est! that's it!

un **yaourt** a yoghurt

les **yeux** eyes